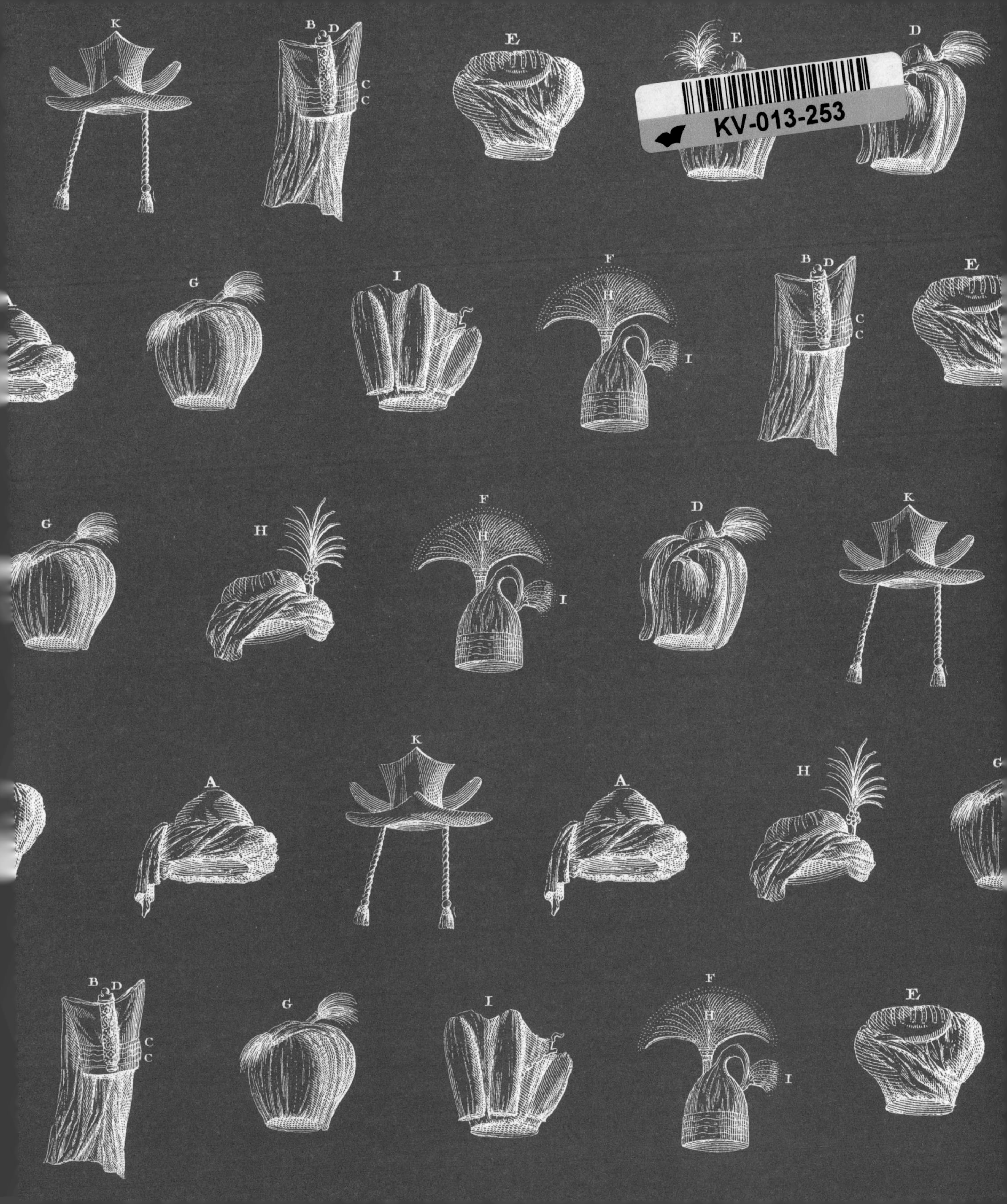
KV-013-253

Turqueries

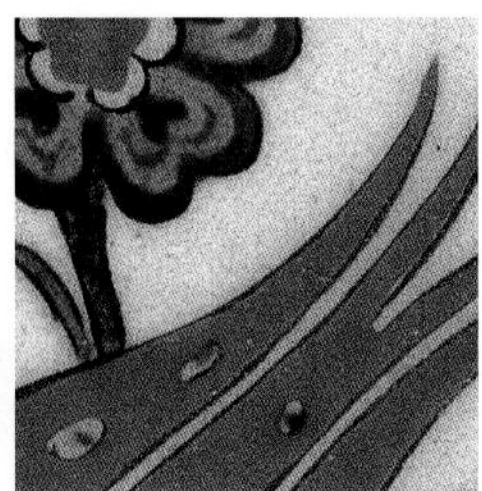

LE GÉNIE DU LIEU

Turqueries

Philippa Scott

Traduit de l'anglais par Christian-Martin Diebold

 **Thames & Hudson**

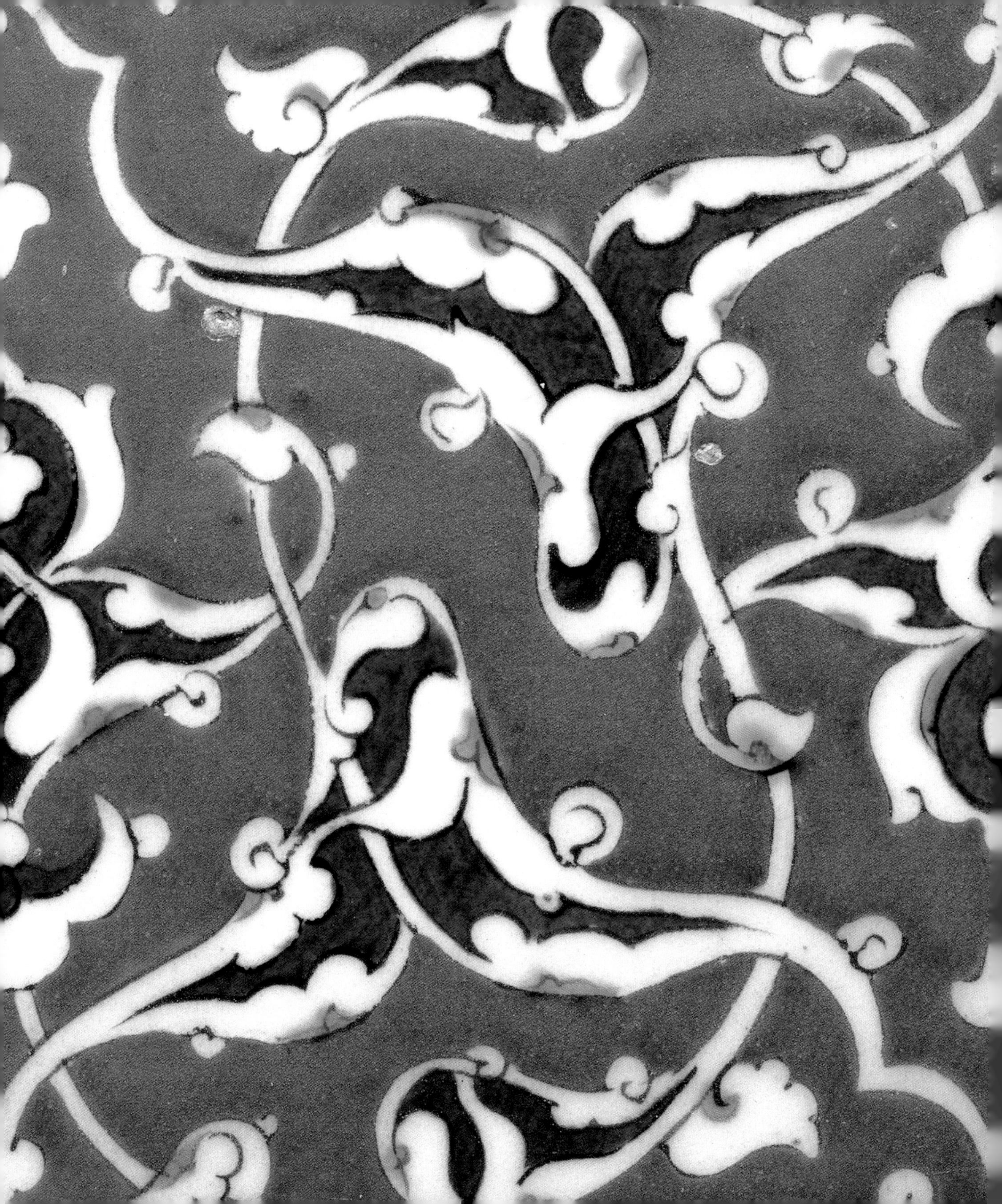

A la mémoire de Robert Tewdwr-Moss

Pages de garde : Stato Militare dell' Impero Ottomano, d'après L. F. Marsigli, La Haye, 1732.
Page 2 : l'*Arab Hall*, carrelé de céramique ottomane. Leighton House, Londres.
Page 4 : Mehmet II, le Conquérant, Siblizade Ahmet, fin du XVe siècle. Bibliothèque de Topkapi Sarayi, Istanbul.
Page 5 : Vue de Constantinople, 1536. Bibliothèque de l'Université, Istanbul.
Page 6 : La Légende de saint Georges, Vittore Carpaccio, 1504-1506, détail. Scuola di San Giorgio degli Schiavoni, Venise.
Page 7 : caftan de cérémonie du sultan Beyazit II (1481-1512), lampas de soie et d'or tissé dans les ateliers impériaux de Bursa. Musée de Topkapi Sarayi, Istanbul.
Page 8 : carreau de bordure d'Iznik, à motif d'arabesque répété, seconde moitié du XVIe siècle. Collection privée.
Page 9 : carreaux de céramique d'Iznik « aux tulipes, jacinthes et rameaux de prunus en fleur », v. 1560. Anciennement collection de l'auteur.
Pages 10-11 : tugra (monogramme) de Soliman le Magnifique (1520-1566), détail. Musée de Topkapi Sarayi, Istanbul.

Recherche iconographique : Georgina Bruckner

Publié en France par Thames & Hudson SARL, Paris.

Cet ouvrage mis en pages par Cicero à Paris a été reproduit et achevé d'imprimer en février 2001 par l'imprimerie C.S. Graphics pour les Editions Thames & Hudson.

Dépôt légal : 4e trimestre 2001
ISBN 2-87811-199-0
Imprimé à Singapour

SOMMAIRE

INTRODUCTION

Sans les apports et l'influence de la Turquie ottomane, la vie serait peut-être aujourd'hui différente et certainement plus terne. Pendant des siècles, l'art et la culture de l'Occident ont été enrichis et raffinés de multiples façons, même si nous considérons désormais ces acquisitions comme allant de soi. Il y a tout d'abord les plaisirs évidents : les loukoums, les babouches, les cigarettes turques. Les premiers voyageurs qui découvrirent les bains turcs décrivirent avec enthousiasme les serviettes, et dans la seule Grande-Bretagne victorienne on construisit pas moins de six cents bains turcs après la description par un diplomate anglais d'un séjour à Constantinople. Les autres apports de la Turquie ottomane sont entre autres la tulipe, le café, le croissant, le sorbet, la large ceinture à nœud bouffant, le kiosque, l'ottomane, le sofa et le divan. A l'origine, tous les tapis étaient qualifiés de « turcs » car on les importait de là-bas. Certains motifs de tapis portent aujourd'hui le nom de peintres célèbres, comme Lorenzo Lotto par exemple, qui se servait de tapis comme accessoires d'atelier pour signifier le prestige de son modèle. Les copies tissées en Europe étaient simplement dites « à la turque ».

Les premiers chats à poils longs introduits en Occident étaient tous « turcs » – le persan moderne est une invention des éleveurs du XIXe siècle. Le mohair provient de la chèvre angora – dite encore d'Ankara –, qu'on n'élève pratiquement plus aujourd'hui. Ce sont encore les Turcs, et non

Ci-contre : portrait imaginaire de Samson Rowlie extrait d'un manuscrit de la bibliothèque bodleienne, Oxford, 1588. Fils d'un négociant de Bristol, Rowlie fut capturé par des corsaires algériens ; en 1586, il était devenu un eunuque musulman, Hasan Aga, par ailleurs très influent trésorier du bey d'Alger (ville qui appartenait à l'Empire ottoman).
Page de droite : Soliman le Magnifique, tableau de Nigari, v. 1560, détail. Musée de Topkapi Sarayi, Istanbul. Le règne de Soliman le Magnifique (1520-1566) fut l'âge d'or ottoman.
Double page suivante : Vue générale de Constantinople, dessin de Melchior Lorichs, 1559, détail. Bibliothèque de l'Université de Leyde.

les Florentins, qui inventèrent le papier marbré, appelé à l'origine « papier turc ». Les techniques ottomanes du chagrin et des « motifs en tapisserie » dans l'art de la reliure en cuir ouvragé se répandirent rapidement par l'intermédiaire de Venise. L'engouement européen pour le portrait en silhouette est également d'origine turque, de même que la marqueterie de cuivre et d'écaille de Boulle. Benvenuto Cellini, un sculpteur et orfèvre parmi les plus remarquables du XVIe siècle, confessa dans ses *Mémoires* que c'est en voyant une dague turque qu'il décida de relever le défi du damasquinage (l'incrustation dans l'acier d'un motif d'or et d'argent). Après le second siège de Vienne en 1683, des tentes turques furent dressées dans les jardins de toute l'Europe, tandis que des « fumoirs » étaient aménagés dans les manoirs. Il se peut également que Lewis Carroll se soit inspiré des lapins blancs diseurs de bonne aventure des contes de Constantinople. On retrouve aujourd'hui dans les cartes de vœux et les bouquets de la Saint-Valentin le « langage des fleurs » ottoman, qui suscita l'enthousiasme des occidentaux. L'inoculation par « greffe » de la variole précéda l'injection de Jenner et fut importée de Turquie au début du XVIIIe siècle par Lady Mary Wortley Montagu – les obser-

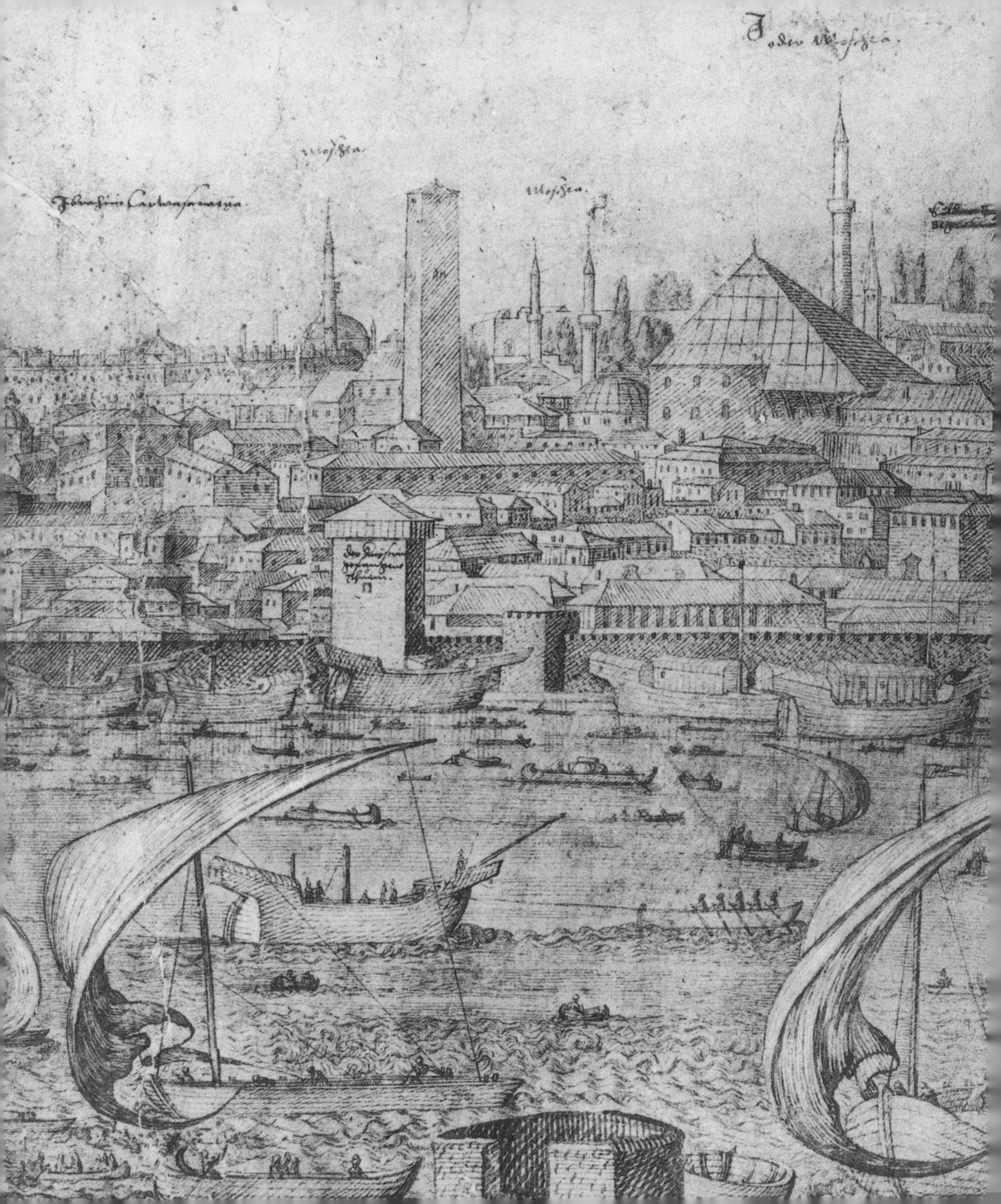

R. UNIV. BIBLIOTHEEK LEIDEN

vations que cette dernière rapporta sur l'apparence des femmes inspirèrent à Ingres ses scènes de bains turcs de fantaisie. Matisse évoque dans ses écrits, à propos des scènes bibliques de Rembrandt, les « vraies turqueries de bazar » – le *Portrait d'un Turc* de Rembrandt fut l'une des premières acquisitions de Catherine II pour le palais d'Hiver de Saint-Pétersbourg. A partir de la fin du XIXe siècle, William Morris, William de Morgan, Cantagalli, Joseph-Théodore Deck, Louis Tiffany, Mariano Fortuny et bien d'autres copièrent et adaptèrent les motifs ottomans. La littérature, le théâtre et l'opéra s'inspirèrent également de thèmes turcs, tandis que des compositeurs intégraient dans leur musique les fioritures orientales ainsi que les percussions et les rythmes des janissaires. Avant de dessiner les plans de la coupole de la cathédrale Saint-Paul, à Londres, Christopher Wren étudia l'architecture ottomane. Le « rouge d'Andrinople », la teinture la plus recherchée, était un secret dérivé de la garance d'Anatolie, et c'est en se référant à ce rouge turc que les Anglo-Saxons

Page de gauche : Scribe assis, attribué à Gentile Bellini mais faisant partie d'une série de portraits de scribes que l'on pense avoir été réalisés par des peintres persans, mogols et ottomans, XVIe siècle. Isabella Stewart Gardner Museum, Boston.
Ci-dessus : *La Réception des ambassadeurs*, anonyme, v. 1500. Louvre, Paris. Des peintres avaient déjà auparavant représenté des personnages orientaux dans des décors imaginaires, mais cette œuvre est le premier tableau européen figurant une vue orientale reconnaissable – il s'agit en l'occurrence de Damas. L'Egypte mamelouke et la Syrie furent intégrées à l'Empire ottoman en 1517. Le personnage assis à l'entrée de la mosquée porte le turban *al-naura* (« roue hydraulique ») caractéristique des mamelouks.

nommèrent *turkey* le dindon, grand oiseau originaire d'Amérique à la tête et aux caroncules pourpres. Tout bien considéré, le legs est donc somptueux.

Constantinople fut mise à sac lors de la quatrième croisade de 1204, des chrétiens massacrant des chrétiens au nom de Dieu, mais dans l'espoir d'un grand butin ; les fiers chevaux de bronze qui dominent la place Saint-Marc à Venise proviennent de ce pillage. A mesure que se renforçait le pouvoir ottoman, les divers empereurs byzantins qui se succédèrent ne cessèrent d'implorer l'aide des puissances chrétiennes, mais en vain. Et lorsque fatalement Constantinople tomba aux mains des Turcs, un tollé hypocrite s'éleva à travers toute la chrétienté. Les premiers billets jamais émis, les indulgences (morceaux de papier offrant une rémission de la peine pour les péchés pardonnés) furent accordés en 1454 par le pape Nicolas V à ceux qui avaient contribué financièrement à la campagne contre les Turcs ottomans. Toutefois, le 29 mai 1453, après plusieurs mois de siège, les troupes ottomanes étaient parvenues à percer la grande muraille de Constantinople. Agé de vingt-deux ans seulement, le jeune sultan Mehmet II, surnommé *« al-Fatih »*, le Conquérant, se rendit jusqu'à l'église mère de la chrétienté orientale, Sainte-Sophie (*Hagia Sophia* – la Sagesse Divine). Il ramassa une poignée de terre qu'il répandit sur son turban, faisant ainsi acte d'humilité devant Dieu. Ayant embrassé du regard Constantinople du haut du toit de la grande église, il erra parmi les ruines des palais byzantins puis, songeant au caractère éphémère de la vie, récita

Ci-dessus : plat « au cavalier turc » en majolique, Deruta, 1535. Fitzwilliam Museum, Cambridge. A cette époque, le Turc incarnait à la fois l'exotisme et le danger, une association aussi puissante qu'irrésistible : on en menaçait les enfants désobéissants pour qu'ils se tiennent sages. *Page de droite :* « le Turc vaincu » en servitude, sculpture du lit de triomphe du prince Eugène de Savoie, célébrant sa victoire sur les Turcs en 1720. Augustiner Chorherrenstift, St. Florian, Autriche.

tranquillement les vers du poète persan Sa'di : « L'araignée tisse les tentures du palais de Choroes/Le hibou appelle les sentinelles des tours d'Afrasyab. » Sachant que le négoce équivalait à la richesse, il encouragea les commerçants étrangers, élargit les alliances commerciales et fonda le Grand Bazar couvert. Ses centres d'intérêt étaient très variés. Il commanda des traductions de textes grecs et latins et se mit à collectionner les cartes géographiques. Lorsque la paix fut conclue avec Venise en 1479 après seize ans de guerre, Mehmet demanda au Doge de dépêcher à Constantinople un « bon peintre ». C'est ainsi que Gentile Bellini, le peintre officiel du Doge, fut envoyé là-bas, où il peignit pendant un an des portraits du sultan au « nez de faucon » et de sa cour.

La nouvelle ville turque se développa autour des mosquées bâties par le sultan et ses vizirs, et s'étendit sous le règne de ses successeurs. Stimulée par les Ottomans, elle commença une nouvelle existence, avant de devenir l'unique ville véritablement cosmopolite du monde et une importante capitale diplomatique. L'Empire ottoman étendit sa domination sur l'Europe orientale et l'Asie occidentale ainsi que sur une grande partie du Maghreb, maintenant dans l'unité, jusqu'à sa chute, des traditions politiques différentes, de nombreux groupes ethniques et diverses communautés religieuses. En 1923, dans le cadre de la politique de modernisation de la République turque menée par Atatürk (Mustafa Kemal), Ankara devint la capitale du nouvel Etat. Pourtant, pour le visiteur étranger, l'ancienne capitale est toujours le cœur du pays. Le nom actuel de la ville – Istanbul (Stamboul) –, vient du grec et signifie dans (ou vers la ville) ; édifiée sur plusieurs collines, elle s'étend le long des rives asiatique et européenne du Bosphore. Nulle ville ne symbolise mieux la dynamique de l'Est et de l'Ouest, et l'irrésistible attraction mutuelle qui les lie.

TURBANS

Les musulmans avaient l'habitude de se couvrir la tête en signe de respect envers Dieu, et le turban avait une forme pratique qui ne gênait pas leurs révérences durant la prière. Le turban ottoman typique, en fine mousseline blanche de coton ou de soie et de coton, était enroulé autour d'un bonnet pourpre à nervures verticales, le *taj*, qui fut adopté par Mehmet le Conquérant et figure dans certains portraits du sultan. Les turbans *(kavuk)* différaient selon le statut et le rang de celui qui les portait – certains châtiments ou disgrâces impliquaient d'ailleurs qu'on enlève son turban. Celui-ci était confectionné en cousant de nombreuses couches de tissu rembourré qui, une fois assemblées, n'étaient jamais démantelées. La nuit, on posait le turban dans une niche ou sur un support spécial appelé *kavukluk*. Lorsqu'on ne l'utilisait pas, il était recouvert d'un tissu brodé, quadrangulaire, appelé *bohça*.

Les tableaux de Carpaccio prouvent à l'évidence qu'il eut, comme d'autres peintres de son époque, la possibilité d'étudier de première main le détail des vêtements des Turcs et des Arabes qui se rendirent à Venise au début du XVe siècle. Les diplomates occidentaux envoyés à Constantinople étaient souvent accompagnés d'artistes qui peignaient des scènes d'ambassade et qui, à l'instar des premiers voyageurs, consignaient leurs impressions dans des livres illustrés de gravures représentant les costumes ottomans ; le célèbre mémorialiste anglais Samuel Pepys possédait par exemple une série d'estampes sur le thème de la femme turque dues à de Chapelle.

Anthony Jenkinson fut le premier Britannique à relater son séjour dans l'Empire ottoman. Il s'y rendit en 1553, et décrivit Soliman le Magnifique en ces termes : « … Et sur sa tête un plissement blanc de belle apparence, mesurant une

Page de gauche : le porteur de turbans du sultan, miniature turque du XVIIIe siècle, détail. Bibliothèque Nationale, Paris.
Ci-contre : Nasreddin Hodja, « l'idiot sage », personnage de prédilection des contes moralistes populaires. Miniature turque, XVIIIe siècle. Musée de Topkapi Sarayi, Istanbul.
Ci-dessus : support à turban *(kavukluk)*, XVIIIe siècle. Collection privée.
Ci-dessous : portrait d'Ahmet III (règne : 1703-1730) avec le prince héritier, dû à Levni, un peintre de la cour. Musée de Topkapi Sarayi, Istanbul.

Page de gauche en haut à gauche et en bas à droite, ci-contre : détails du cycle consacré à *La Légende de saint Georges*, Vittore Carpaccio, v. 1504-1506. Scuola di San Giorgio degli Schiavoni, Venise. On reconnaît le turban enroulé autour d'un *taj* (bonnet de velours pourpre à nervures verticales) du XVe siècle, de même que des hommes coiffés du large turban aplati des théologiens *ulemas*.
Page de gauche en haut à droite : Hayrettin Pacha, de Nigari, un peintre de la cour, v. 1560. Musée de Topkapi Sarayi, Istanbul. Surnommé Barberousse en raison de la barbe rousse de sa jeunesse, l'amiral du sultan fit de la flotte turque la plus puissante de Méditerranée.
Page de gauche en bas à gauche : L'Homme au turban rouge, Jan Van Eyck, 1433. National Gallery, Londres. Cette œuvre représente une version européenne du turban, maladroitement enroulé, et le très recherché « rouge turc », une spécialité des teinturiers ottomans qui en gardaient la formule secrète.
Ci-dessus : miniature illustrant les *Nusretname* (chroniques de Nusret), 1582, détail. British Library, Londres.

longueur estimée de quinze yards, qui était de soie et de lin tissés ensemble, ressemblant à quelque tissu de Calicut [calicot], mais plus raffiné et riche, et au sommet de sa couronne un petit pinacle de plumes d'autruche blanches... » Les expressions « prendre le turban » ou bien « se faire Turc » signifiaient pour un Européen devenir musulman. Aux XVIIe et XVIIIe siècles, quand la mode fut aux perruques, les Occidentaux adoptèrent comme couvre-chef le turban, qu'ils réservaient aux occasions informelles. En 1666, Pepys rendit visite à Sir Philip Howard : la « petite tenue » dans laquelle celui-ci le reçut, composée d'un turban et d'une robe de chambre, fit grande impression sur lui. Les versions occidentales du turban, enroulé autour de la tête sans l'aide d'un serviteur ayant pour tâche spécifique de l'assembler et d'en prendre soin, ressemblaient aux bandes d'étoffe précairement nouées que l'on peut voir dans certains tableaux, comme par exemple *L'Homme au turban rouge* de Van Eyck. Elles furent plus tard remplacées par une sorte de petit bonnet turc, généralement en velours brodé, qui était porté avec un veston d'intérieur – une tenue décontractée de nouveau, inspirée d'un Orient purement imaginaire car en Turquie, ce type de coiffe était porté non par les hommes, mais par les femmes, et complété d'une écharpe brodée enroulée autour du chapeau. La chenille fumant un narguilé que rencontre Alice au pays des merveilles

Page de gauche et ci-contre : pierres tombales en marbre surmontées de turbans et de couvre-chefs sculptés. Cimetière d'Eyup, Istanbul.
Ci-dessus : calligraphie en forme de chapeau de derviche soufi. Musée de Topkapi Sarayi, Istanbul. A l'origine peints de couleurs vives, les différents turbans en marbre dénotaient le statut social. Après l'interdiction du turban en 1829, les monuments funéraires furent surmontés de fez en pierre.
Les cimetières musulmans, où les tombes sont disséminées aussi irrégulièrement que les fleurs et les arbustes qui les agrémentent, étaient des lieux de pique-niques ou de rendez-vous très fréquentés. Le plus ancien cimetière turc d'Istanbul, qui date de 1452, se trouve dans la forteresse de Roumélie (Rumeli Hisari), bâtie par Mehmet II sur le Bosphore. Elle dominait un *tekke* (lieu de réunion) de derviches, où furent enterrés de nombreux saints. Leurs pierres tombales sont surmontées de la coiffe et du turban caractéristiques des derviches. Les soufis tirent leur nom du *souf* – la laine de leurs vêtements et de leurs hauts chapeaux de feutre. Les plus connus en Occident appartiennent à l'ordre des Mevlevi, les « derviches tourneurs ».

est habituellement représentée coiffée d'un petit bonnet turc. Quand en 1616 Ahmet Ier consacra la mosquée du sultan Ahmet – la mosquée Bleue –, on dit qu'en signe d'humilité, il se coiffa d'un turban ayant la forme du pied du prophète Mahomet. Les *hajjis*, c'est-à-dire ceux qui avaient accompli le pèlerinage à La Mecque, avaient le droit de porter le turban vert ; vêtus de robes noires, les saints hommes enroulaient leur turban autour d'une calotte afin qu'il soit plus large et plus aplati. Les janissaires portaient une coiffe particulière, enroulée en hauteur au-dessus du front et qui retombait dans le cou, agrémentée de divers ornements. Dans l'armée, une coiffe rouge signifiait que son propriétaire était Turc de naissance et musulman de confession, tandis que les esclaves étaient identifiés par leur bonnet blanc. Lors d'occasions particulières, ou bien en fonction du protocole ou de ses goûts personnels, on pouvait orner le turban de bijoux ou encore d'une aigrette. En réponse aux avances diplomatiques du roi Henri III de France, Mehmet le Conquérant demanda « une très petite horloge sonnante, de forme ovale, à porter dans le turban ».

En Turquie, alors que les stèles funéraires des femmes étaient ornées de fleurs sculptées en bas-relief, celles des hommes étaient surmontées d'une coiffe de pierre semblable au couvre-chef porté par le défunt de son vivant. Les pierres tombales coiffées d'un turban datent d'avant 1829 ; elles furent ensuite ornées d'un fez. Comme la stambouline (redingote), le fez fut introduit par Mahmut II au titre de sa politique de modernisation. Cette mode, dont la vogue eut des conséquences désastreuses pour les fabricants de turban et pour le commerce des étoffes en général, rencontra d'abord une farouche opposition, mais les fabricants de glands virent

En fond : fez et aigrette parée de pierreries du sultan Abdulmecit, XIXe siècle. Trésor de Topkapi Sarayi, Istanbul.
Page de droite : (à gauche) Schéhérazade, de George Barbier, publié dans le journal *Modes et manières d'aujourd'hui*, 1914 ; *(à droite)* gravure de mode, George Barbier, 1919 ; *(en bas)* janissaire turc, eau-forte de Maître L. D., Lyon, 1568.
Les créations de George Barbier, styliste et illustrateur associé à Paul Poiret, eurent un grand retentissement. Bien que Poiret ait nié avoir été influencé par les spectaculaires costumes des Ballets russes, qui se produisirent pour la première fois à Paris en 1909, il créa une mode audacieuse, qui tranchait avec les silhouettes guindées et les robes corsetées de l'époque. Turbans, aigrettes et pantalons de harem figuraient dans sa collection 1909.

croître de manière spectaculaire leurs bénéfices car les glands de fez devaient être remplacés au moins une fois par an, et les rues d'Istanbul furent soudain envahies par de jeunes garçons qui se proposaient de les peigner moyennant une modeste rémunération. Dans *Beauties of the Bosphorus*, Julia Pardoe se plaignait du fait que, vu de loin, un groupe de Turcs coiffés de fez rouges ressemblait à un champ de coquelicots ! Seul le clergé fut autorisé à porter encore la longue robe et le turban. Moins d'un siècle plus tard, en 1925, le fez devait à son tour être banni par les grandes réformes d'Atatürk.

Le turban et ses aigrettes de bijoux ou de plumes furent adoptés par la mode féminine occidentale. Ils réapparaissent encore aujourd'hui dans les défilés lorsque le goût se tourne de nouveau vers la mode orientale. En 1909, Paul Poiret mit en vedette turbans, aigrettes, tuniques et pantalons de harem, vêtements exotiques et originaux qui suscitèrent un intérêt enthousiaste lorsqu'on les découvrit sur scène avec les Ballets russes que l'impresario Serge de Diaghilev présenta la même année à un public parisien ébahi – les éclatants costumes en soie d'Asie centrale contrastaient fort en effet avec les coloris « pois de senteur » de la mode de l'époque. De 1910 à 1920, le turban devint une coiffure populaire. Il connut une résurgence dans les années 1930, puis de nouveau dans les années 1960 et 1980. Il est aujourd'hui devenu un classique.

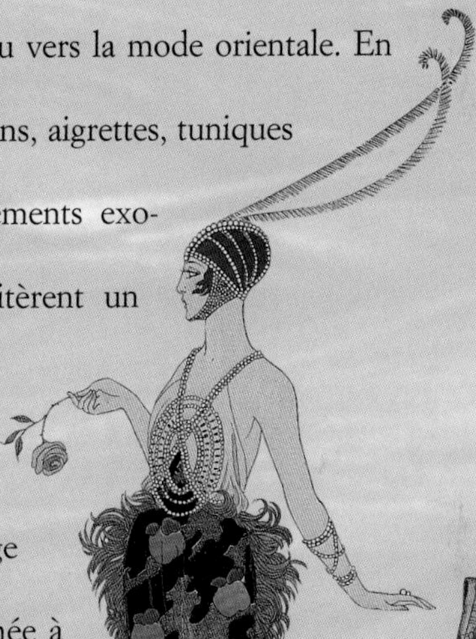

TULIPES ET GRENADES

LAQUAIS, SERS-MOI UN PEU DE VIN, CAR UN JOUR LE JARDIN DE TULIPES SERA ANÉANTI ;
L'AUTOMNE ARRIVERA ET LA SAISON DU PRINTEMPS NE SERA PLUS.

Ces vers de Mehmet le Conquérant expriment l'attachement tout particulier des Ottomans pour les tulipes. Les Turcs créèrent différents types de jardin – les plus appréciés étaient ceux plantés de manière informelle, sinueux, odorants et agrémentés d'eau et d'arbres –, mais un jardin n'était pas un jardin sans tulipe. Voyageant en Turquie au début du XVIIe siècle, George Sandys écrivit : « On ne peut sortir dans la rue sans que des derviches ou des janissaires ne vous offrent des tulipes et des bagatelles. »

Les premiers voyageurs occidentaux découvrirent avec émerveillement la passion des Ottomans, qui avaient l'habitude d'arborer une tulipe fichée comme une aigrette dans les plis de leur turban, pour les « lis rouges ». Les Turcs appellent la tulipe *lâle*, mot qui s'écrit avec les mêmes caractères arabes que « Allah », et qui est par conséquent souvent utilisé comme symbole religieux. Les célèbres carreaux de céramique de la mosquée Rustem Pacha s'enorgueillissent des massifs de tulipes les plus spectaculaires d'Istanbul – on y trouve quarante et une variétés, réelles ou imaginaires –, mais le visiteur de la mosquée Lâleli constatera au contraire que seul le nom de l'édifice évoque la tulipe, puisque ses murs ne sont pas parés de fleurs mais de marbres rares et de pierres semi-précieuses. A la grande joie des poètes, *lâle* rime avec *piyale*, verre de vin.

Page de gauche : la favorite du sultan avec une tulipe à la main, Levni (peintre de la cour d'Ahmet III), XVIIIe siècle. Musée de Topkapi Sarayi, Istanbul.
Ci-contre : scène de fête de la tulipe, miniature turque, XVIIe siècle. Topkapi Sarayi, Istanbul.
Ci-dessus : vases à tulipe de Delft, XVIIe siècle. Palais royal de Het Loo, Apeldoorn, Pays-Bas. La « fièvre de la tulipe » entraîna aux Pays-Bas la production de vases adaptés et qui ne contenaient qu'une seule tige. Les têtes de Turcs enturbannés étaient aussi prisées que les formes pyramidales.
Ci-dessous : page du *Lâle Memuasi*, album consacré aux tulipes turques, 1725.

L'exportation de la tulipe en Occident fut marquée aux Pays-Bas par la « fièvre de la tulipe », les bulbes s'échangeant contre des sommes considérables. On peut voir dans les natures mortes hollandaises du XVIIe siècle les tulipes « perroquet » que créèrent les cultivateurs de bulbes. Dans *La Tulipe noire*, Alexandre Dumas évoque l'intensité de la passion que les Néerlandais vouaient à la tulipe. Les Ottomans modifièrent également génétiquement certains bulbes, leur préférence allant aux fleurs lancéolées s'effilant en longs pétales étroits. La tulipe qui leur ressemble le plus aujourd'hui est la *Tulipa acuminata*, dont les pétales aussi minces que des spaghettis, rayés de jaune et aux pointes écarlates, se tordent et se retournent de manière extravagante.

Les Ottomans aimaient piquer une fleur unique dans un vase à col étroit, appelé *lâledan*. Dans le « langage des fleurs », qui est une invention turque, offrir des tulipes rouges signifie « Votre beauté m'enflamme », la base noire de la fleur indiquant que le cœur du soupirant se consume au point de se transformer en charbon. Les tulipes fleurissent de manière enchanteresse sur les soieries ottomanes et sont un motif largement utilisé dans le domaine de la céramique. L'armure de Soliman le Magnifique était ornée d'une seule glorieuse tulipe, gravée

Page de gauche : chatoyante soierie tissée à Bursa, XVIIe siècle. Francesca Galloway, Londres.
Ci-contre : (en haut) bouclier de parade, rotin et fil de soie surjeté, XVIe siècle. Musée de Topkapi Sarayi, Istanbul ; *(en bas)* caftan de cérémonie de Soliman le Magnifique, version italienne d'un velours de soie et d'or de Bursa, XVIe siècle, et caftan de cérémonie de Soliman III, lamé appliqué sur satin, XVIIe siècle. Musée de Topkapi Sarayi, Istanbul.
Ci-dessus : tulipe, détail d'une soierie ottomane du XVIe siècle. Musée historique des tissus, Lyon.
Double page suivante à partir de la gauche : carreaux en céramique d'Iznik, mosquée Rustem Pacha, Istanbul, 1561 ; papier peint de William Morris, fin XIXe siècle, Victoria & Albert Museum, Londres ; velours imprimé de Fortuny, v. 1930, d'après une soierie ottomane du XVIe siècle.

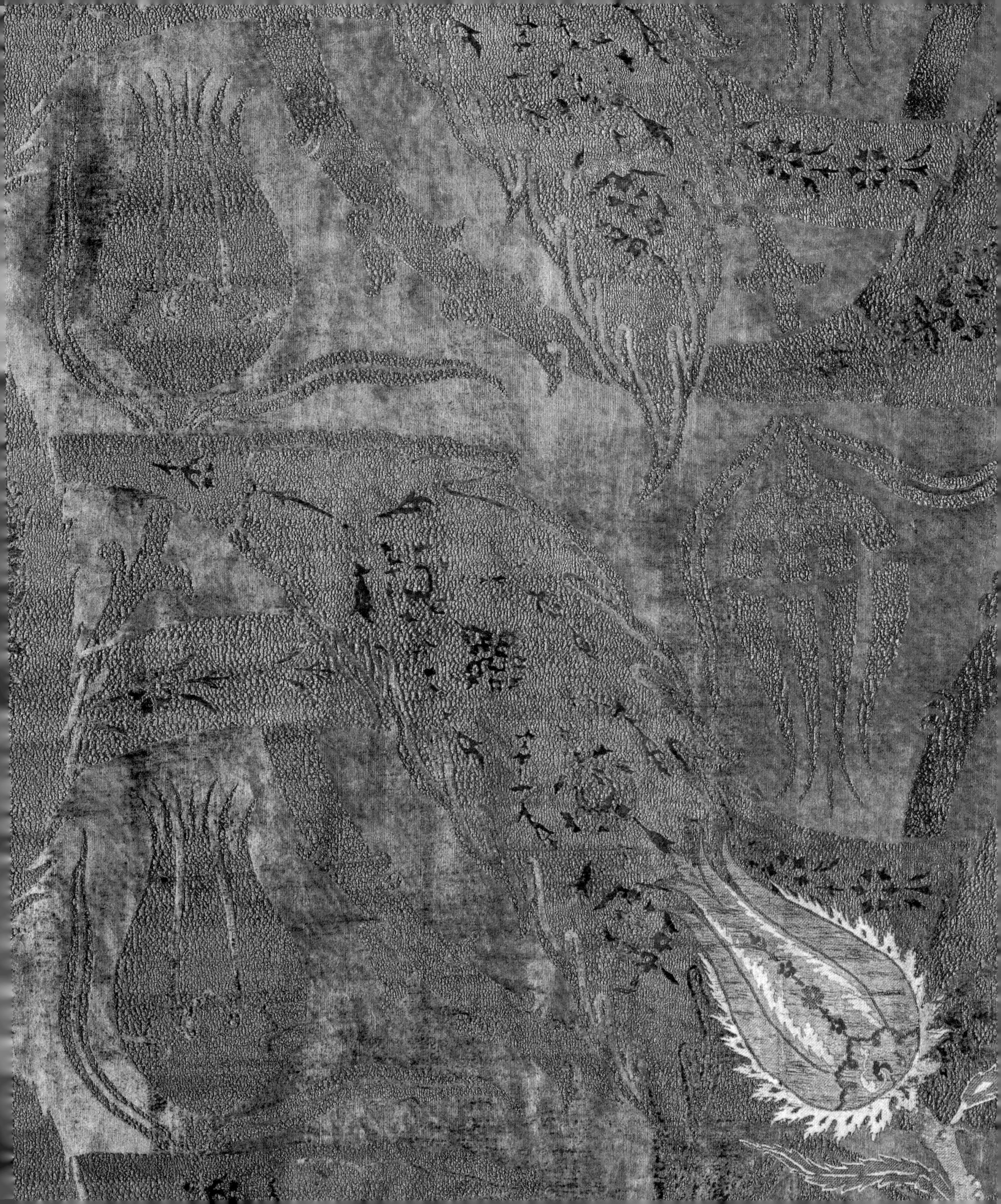

en relief et longue de vingt-deux centimètres, tandis que son casque-turban était couronné de tulipes en or serties de pierreries. Dans un album intitulé *Sûrname*, qui date de 1582 et représente les festivités organisées à l'occasion de la circoncision de l'héritier du sultan Murat III, on peut voir une procession de Turcs enturbannés transportant de hautes pagodes ornées de tulipes rouges. Ahmet III fit aménager dans le palais de Topkapi Sarayi une « chambre des Fruits », un espace intime réservé aux repas et orné de peintures représentant des coupes de fruits et ses fleurs préférées. Ce sultan dont le règne fut appelé *Lâle Devri*, l'ère des Tulipes, institua une fête annuelle pour célébrer la floraison de son obsession. Durant les trois jours de la première pleine lune d'avril, les jardins de Topkapi se métamorphosaient en une féérie de tulipes, de lampions multicolores, de rossignols en cage, de musique et de danse. Au cours d'une de ces soirées, les femmes du harem organisaient un simulacre de bazar dont l'unique client était le sultan. Le marché aux fleurs prospère aujourd'hui encore près de la *Yeni Cami* (la « nouvelle mosquée »), où fut inhumé Ahmet, le roi des Tulipes.

Les sultans mangeaient dans de la vaisselle en porcelaine de Chine et le palais de Topkapi abrite la plus grande collection de céramiques chinoises en dehors de Chine. Les artistes ottomans associaient en toute liberté aux fleurs d'Anatolie les palmettes et les lotus des Chinois. Les motifs ottomans les plus anciens, qui remontent aux époques préislamiques, sont célestes : soleil rayonnant, étoile, croissant

de lune. En migrant vers l'Ouest, les Ottomans adoptèrent des motifs proche-orientaux : l'arabesque *(rumi)*, l'arbre de vie, la pomme de pin, le cyprès et la grenade. Cette dernière représente la fertilité. Sur certaines broderies ottomanes du XVIIe siècle et d'époques ultérieures, l'image de la grenade est si déformée qu'elle semble exploser, tout comme éclate le fruit qui sèche sur la branche, éparpillant partout ses pépins.

Les progrès techniques intervenus en Turquie, en Italie et en Espagne aux XIVe, XVe et XVIe siècles entraînèrent la production de velours enrichi de brocarts. Exportées vers l'Ouest, les palmettes et les grenades devinrent le motif de prédilection des velours espagnols et italiens, tandis que les Ottomans préféraient l'association des palmettes et des œillets – ce motif apparaît sur certains *kilims*. La grenade symbolise le monde et ses pépins représentent l'humanité. Motif décoratif royal réservé à la cour ottomane, elle n'apparaissait jamais sur des pantalons ou des babouches.

Rivalisant avec la tulipe, le *çintamani* est un symbole bouddhiste à l'origine, adopté ultérieurement comme blason par la dynastie des Timurides. Souvent associés à des lignes onduleuses, et évoquant la robe du léopard ou du tigre, les pois qui caractérisent ce motif, qui ressemblent à des croissants fermés, apparaissent également fréquemment dans les décors floraux.

Page de gauche : détail d'une broderie ottomane du XVIIe siècle, soie sur lin.
Ci-dessus : grenade, détail d'un *bohça* (tissu d'emballage) ottoman brodé, XVIIIe siècle. Collection privée.
Ci-dessous : frise de carreaux de céramique russes « aux grenades » imitant le style ottoman, 1667. Eglise Saint-Grégoire-de-Nouvelle-Césarée, Moscou. Le rêve de Catherine II la Grande, que partageaient la plupart des Grecs de l'Empire ottoman, était de rendre à Constantinople son rang de capitale de l'Eglise chrétienne d'Orient.

Ci-contre : caftan d'Osman II, velours de soie florentin évidé et broché, v. 1540. Musée de Topkapi Sarayi, Istanbul. *Page de droite : Eléonore de Tolède et son fils*, Agnolo Bronzino, v. 1545. Musée des Offices, Florence. Eléonore fut la première épouse de Cosme de Médicis, qui avait des agents dans l'Empire ottoman. Les deux velours de soie que l'on voit ici présentent des dessins en bouclé de fil d'or et d'argent ; ces étoffes italiennes sont probablement inspirées de modèles espagnols. En 1469, cinquante firmes florentines travaillaient dans l'Empire ottoman, important en Italie teintures et soie grège dont on faisait de somptueuses étoffes.

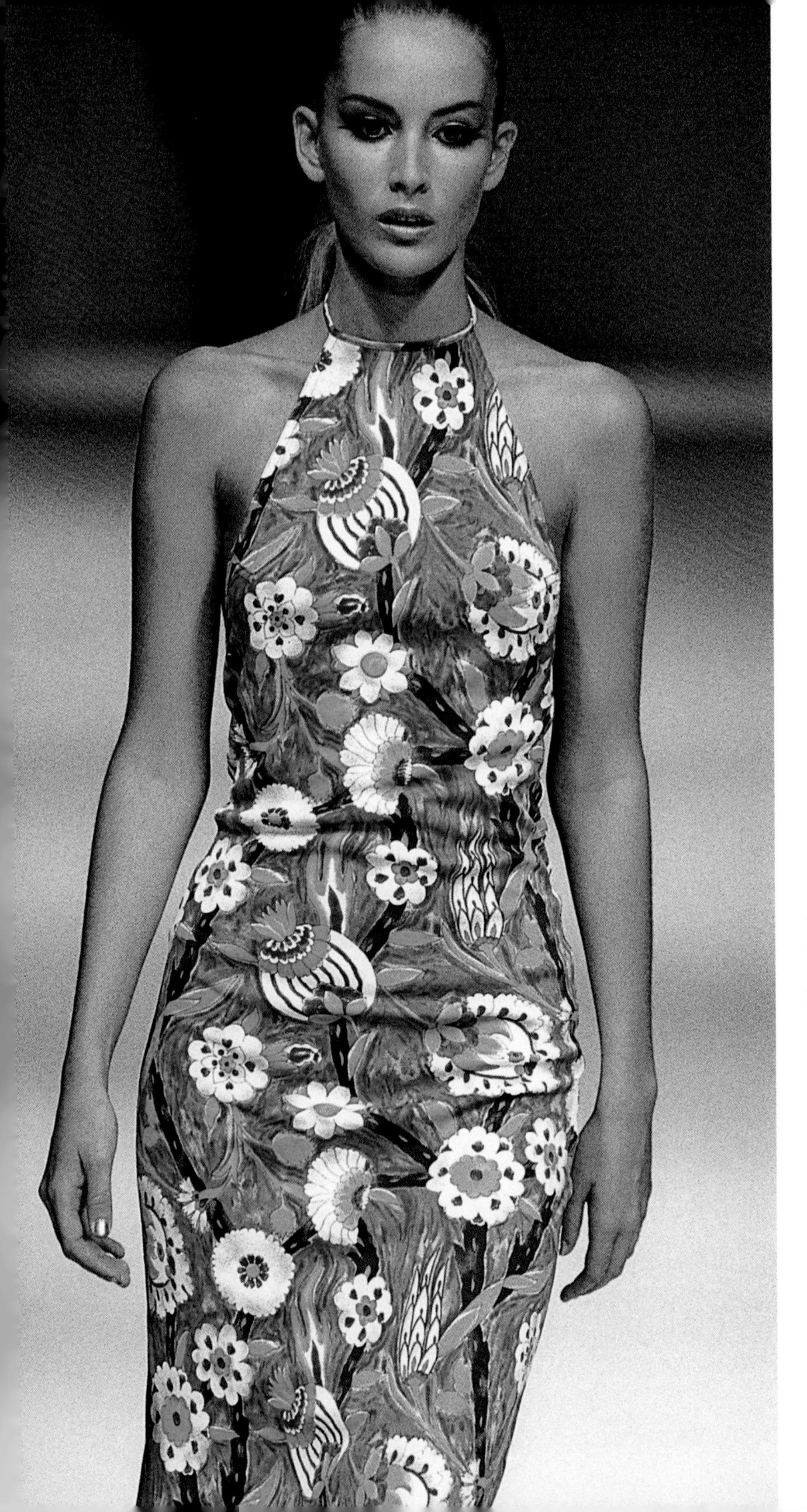

Page de gauche : carreau de céramique d'Iznik, à palmettes et lotus, feuilles *saz* (feuilles incurvées plumeuses, dont le nom est tiré de la plume de roseau du calligraphe), floraison de prunus, détail d'un panneau, fin du XVIe siècle. Mosquée Rustem Pacha, Istanbul. *Ci-contre :* robe en soie dessinée par Rifat Ozbek, collection printemps-été 1994. Le tissu choisi par ce couturier turc installé à Londres reflète fidèlement les motifs et les coloris des carreaux de céramique d'Iznik. Les créations d'Ozbek s'inspirent fréquemment de l'opulence ottomane et de son propre héritage turc. Présentée à Paris en 1994, sa première grande collection comportait des modèles dérivés des modes de la cour au XVIe siècle.

TAPIS MAGIQUES

Nombreux sont les récits de tapis volants, et plus nombreuses encore sont les explications que l'on a avancées à leur sujet. L'un de ces récits met en scène un empereur byzantin dont le trône s'élevait comme par magie dans les airs dès qu'un suppliant s'en approchait. La légende ne dit pas si cette élévation était provoquée par un tapis de trône, mais si le tapis sur lequel reposait le trône de l'empereur était à points noués, on pourra sans risque émettre l'hypothèse qu'il fut tissé autant par la magie turque que par les mains de l'artisan qui le réalisa.

Le plus ancien tapis découvert par les archéologues a pu être conservé grâce au permafrost dans un tombeau scythe des confins sibériens de l'Altaï. Le raffinement de ce tapis tissé vers 500 av. J.-C. prouve qu'il est le résultat de techniques établies depuis longtemps. Le tissage des tapis nécessite beaucoup de fibres textiles et exige d'avoir de la laine à sa disposition. On trouve cependant des tapis à points noués et des décors géométriques tout au long de l'itinéraire qu'empruntèrent les Turcs et leurs troupeaux, du cœur de l'Asie centrale jusqu'à l'actuelle Turquie. On confectionnait toutefois des *kilims* en Anatolie bien longtemps avant l'arrivée des Turcs, certains motifs remontant à l'ère néolithique.

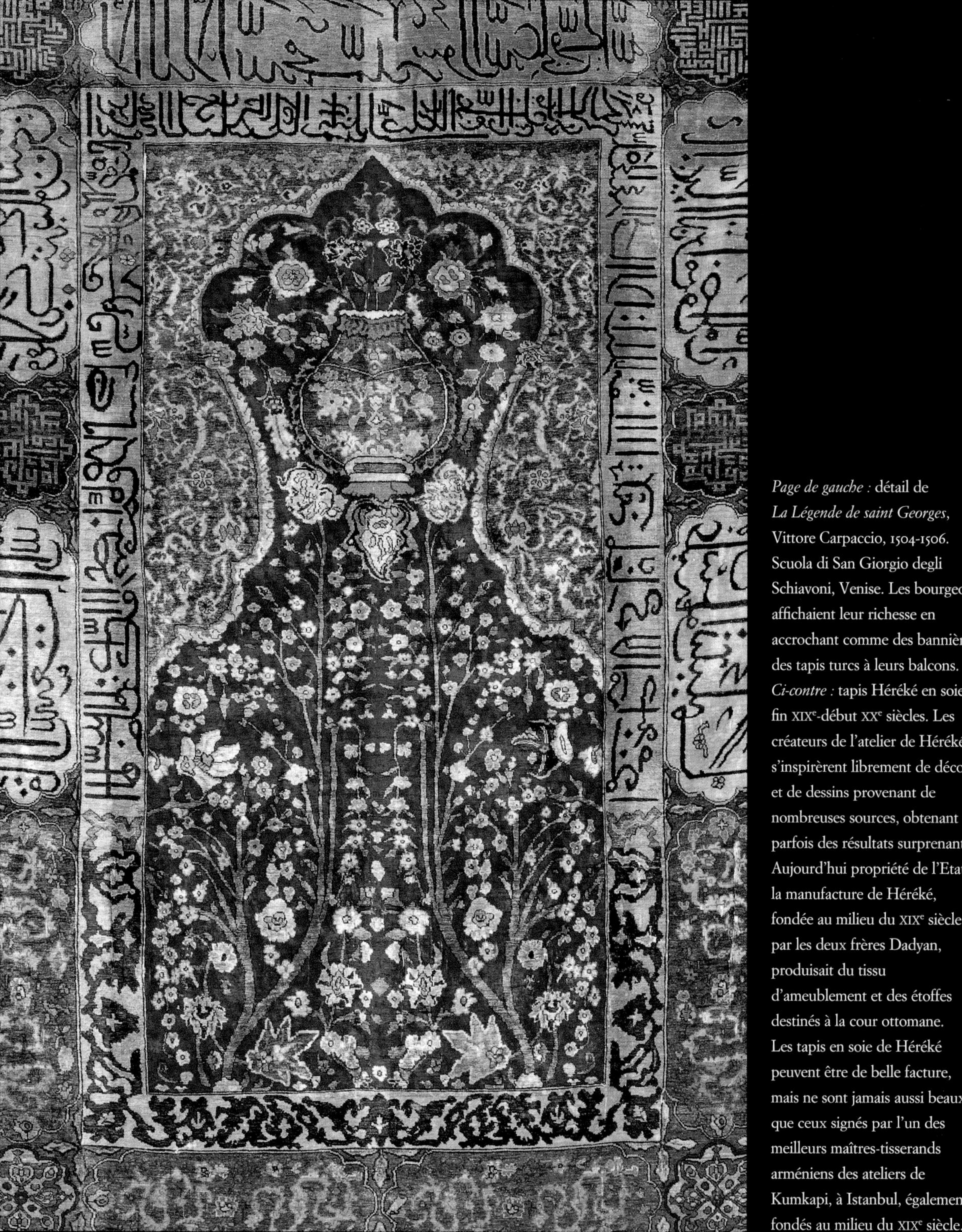

Page de gauche : détail de *La Légende de saint Georges*, Vittore Carpaccio, 1504-1506. Scuola di San Giorgio degli Schiavoni, Venise. Les bourgeois affichaient leur richesse en accrochant comme des bannières des tapis turcs à leurs balcons. *Ci-contre :* tapis Héréké en soie, fin XIXe-début XXe siècles. Les créateurs de l'atelier de Héréké s'inspirèrent librement de décors et de dessins provenant de nombreuses sources, obtenant parfois des résultats surprenants. Aujourd'hui propriété de l'Etat, la manufacture de Héréké, fondée au milieu du XIXe siècle par les deux frères Dadyan, produisait du tissu d'ameublement et des étoffes destinés à la cour ottomane. Les tapis en soie de Héréké peuvent être de belle facture, mais ne sont jamais aussi beaux que ceux signés par l'un des meilleurs maîtres-tisserands arméniens des ateliers de Kumkapi, à Istanbul, également fondés au milieu du XIXe siècle.

A gauche : tapis Ouchak (détails), XVIe siècle. Collection Phoenix. Bien que Lorenzo Lotto représente dans ses tableaux de nombreux motifs de tapis, son nom a été associé au décor à grille végétale géométrique illustré ici. Nous savons qu'il possédait au moins un tapis – ses livres de comptes mentionnent la mise en gage d'un tapis, mais son motif n'est pas précisé.
Ci-dessous : Portrait de famille, Lorenzo Lotto, XVIe siècle, détail. National Gallery, Londres. Le peintre a altéré la palette et a interprété ici en rouge sur rouge le champ typique à grille jaune, obtenant un effet spectaculaire.
Page de droite : tapis dit « de Memling » (détail), Ouchak, XVIe siècle. Musée hongrois des arts appliqués, Budapest. *Vierge à l'Enfant*, Hans Memling, XVe siècle. Louvres, Paris. Memling a représenté plusieurs tapis du type « Holbein », mais son nom est resté associé à un motif de médaillon à crochets dit « *gul* de Memling » qui apparaît sur des tapis turcs, caucasiens et kurdes.

Les tapis turcs furent importés en Europe dès le XIVe siècle, et peut-être même avant. Leurs décors se caractérisaient par des oiseaux ou des animaux stylisés inscrits dans des octogones – on a retrouvé deux tapis de ce genre en Suède et en Italie. Un troisième a récemment été découvert après le pillage d'un monastère tibétain. Ce type de tapis apparaît dans un grand nombre de tableaux des XIVe et XVe siècles représentant la Vierge à l'Enfant. On raconte que le pape Benoît XII, au XIVe siècle, gardait toujours près de lui son tapis préféré – celui-ci, décoré de grands oiseaux au plumage truité inscrits dans des octogones, est représenté dans une fresque du palais des Papes à Avignon.

Aux XVIe et XVIIe siècles, l'Europe était très friande de ces produits de luxe. En 1520, le cardinal Wolsey commanda soixante tapis turcs par l'entremise du notable de Venise qui en supervisait le négoce. Le roi Henri VIII d'Angleterre, qui en possédait quelque quatre cents, commanda à Eworth et à Holbein des portraits de lui posant fièrement sur divers tapis Ouchak à médaillons. Les tapis précieux, symboles du rang social et trop raffinés pour le sol, recouvraient habituellement les tables. Ils étaient tissés dans des ateliers capables de satisfaire aux exigences des commandes royales et princières. Les motifs Ouchak furent repris en Europe dans des ouvrages à l'aiguille ou en macramé appelés « ouvrages à la turque ». Les premiers tapis de prière introduits en Europe étaient appelés « tapis de mosquée », mais certains motifs sont aujourd'hui désignés dans le monde entier d'après le nom des peintres qui les représentèrent dans leurs tableaux – Lotto, Crivelli, ou Bellini. Holbein ne fut ni le premier ni le seul artiste à représenter le motif Ouchak qui lui est aujourd'hui associé. L'une des variantes du *gul* (rose) – le motif géométrique répété dans le champ des tapis turkmènes et turcs – est aujourd'hui appelée *gul* de Memling. Certains intérieurs occidentaux du XIXe siècle représentés dans des tableaux proposent un modèle différent de « tapis turc », dans lequel le rouge prédomine encore et dont le dessin grossier et lourd devait être bientôt copié et reproduit en série à la machine.

Page de gauche : La Conférence de Somerset House, peintre flamand anonyme, 1604. National Portrait Gallery, Londres. Le somptueux tapis qui recouvre la table où fut signée la paix entre l'Angleterre et l'Espagne présente un motif aujourd'hui universellement connu sous le nom de « Holbein », tissé à Ouchak.
Ci-dessous : détail d'un motif Holbein, XVIe siècle. Musée national hongrois des arts appliqués, Budapest. Un grand nombre de tapis anatoliens des XVIe et XVIIe siècles ont subsisté dans les églises de Hongrie, où on les considérait comme faisant partie intégrante du mobilier ecclésiastique.
Page 46 : tapis de prière Ghiordès, seconde moitié du XVIIe siècle. Musée national hongrois des arts appliqués, Budapest.
Page 47 : intérieur du *yali* de Sa'adullah Pacha, Istanbul, montrant un tapis Ouchak à médaillon du XVIIe siècle, des *yastik* (coussins) de velours sur le divan et des *kavukluk* de part et d'autre du miroir.
Pages 48-49 : tapis Ouchak à médaillon, XVIe siècle-début du XVIIe siècle. Le médaillon central est une version d'un symbole ottoman très apprécié, le soleil rayonnant ; les demi-médaillons bleus sont des étoiles lobées.

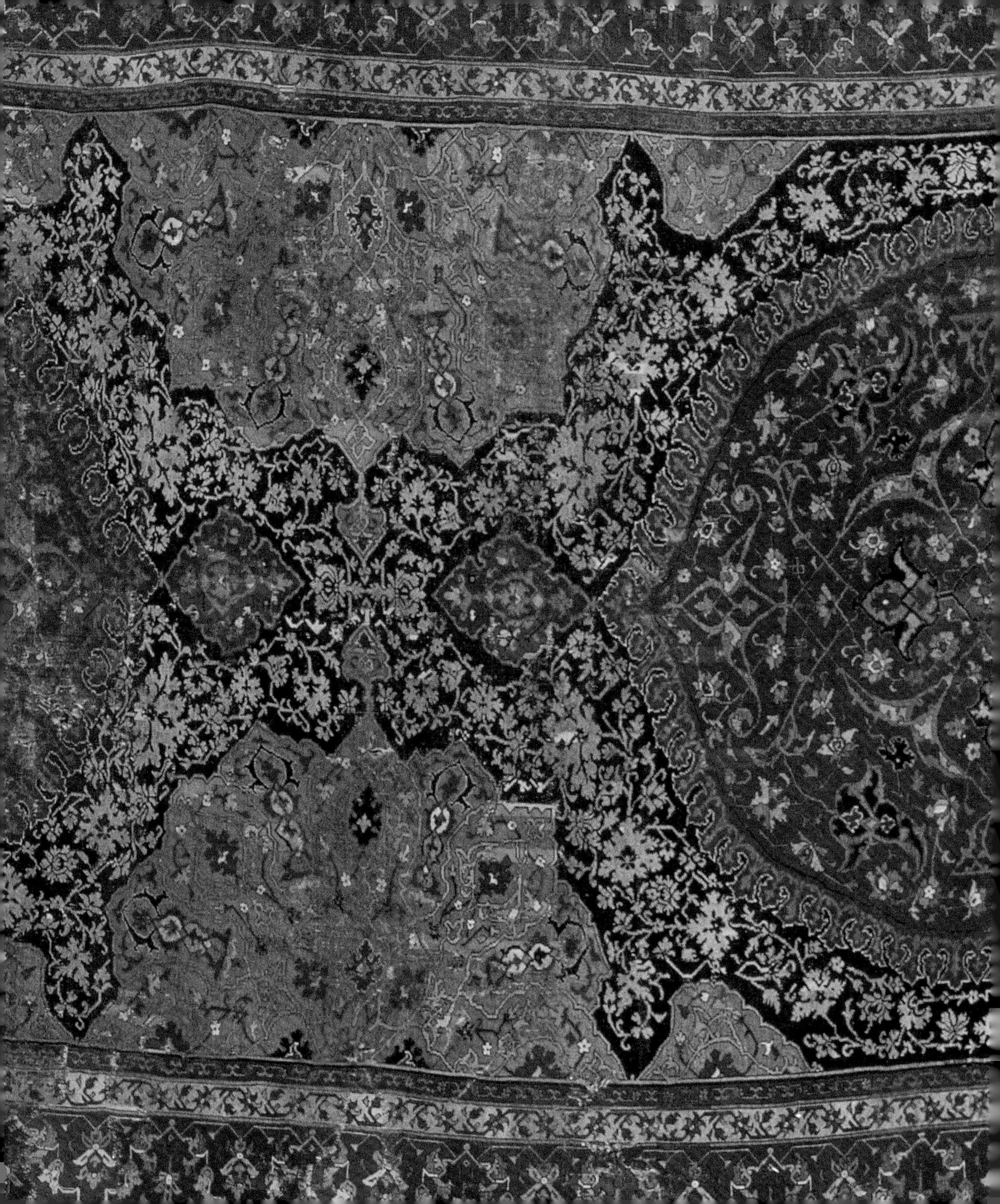

TENTES ET PAVILLONS

Les ancêtres des Ottomans étaient des Turcs nomades qui migrèrent avec leurs troupeaux et leurs féroces cavaliers des steppes d'Asie centrale jusqu'en Anatolie, où ils se fixèrent. Leur habitation – une tente de feutre circulaire appelée *yourte*, était confortablement et méthodiquement arrangée, pratique et facilement transportable. On observe des liens très étroits entre la tente et l'architecture ottomane. A l'intérieur de la tente, des bandes d'étoffe fortement tissées et renforcées de cuir remplaçaient certains éléments porteurs de l'architecture, et les broderies en application mettaient de la couleur et fournissaient des décorations tout en renforçant et en isolant les parois. Lorsqu'il accédait au trône, le sultan commandait une tente pour marquer son arrivée au pouvoir, magnifique construction de soie brodée de fils d'argent et d'or. Le palais du sultan à Constantinople, Topkapi Sarayi (« palais de la porte du Canon »), représente un vaste ensemble de tentes construites en pierre. L'armée ottomane séjournait chaque année au moins cinq mois sous la tente, aussi le moindre aspect de la vie du campement faisait-il l'objet d'une organisation rigoureuse. Les hommes dont la fonction était de planter les tentes précédaient le sultan et sa suite. Le plan du campement était aussi logique que fonctionnel, comme on peut le voir dans les miniatures turques, et l'on disait que le sultan « logeait plus majestueusement lorsqu'il partait en campagne que lorsqu'il restait chez lui ». Il était extrêmement difficile de pénétrer dans le campement la nuit en raison des inextricables réseaux constitués par les cordons des tentes.

Lors du siège de Vienne en 1683, les Ottomans érigèrent à côté de la capitale autrichienne une cité de toile, plus vaste et mieux ordonnée que la ville elle-même. Les Autrichiens, qui dès leur enfance avaient entendu d'effroyables récits à propos des Ottomans, considérés comme des infidèles assoiffés de sang, s'émerveillèrent de voir des soldats planter des jardins devant leurs demeures de toile brodée. Après la bataille, Jean III Sobieski de Pologne pénétra dans le campement et décrivit en ces termes la tente du général ottoman, le grand vizir Kara Mustafa Pacha : « Il est difficile de décrire tous les raffinements qu'offrait la tente du vizir : un bain, un jardin et des fontaines, des lapins et des chats, et même un perroquet mais celui-ci s'envola et nous ne pûmes l'attraper [...] » L'Europe fut émerveillée par les trésors que les Ottomans laissaient derrière eux, de même que par leur cité de tentes, qui furent saisies et distribuées après le siège de Vienne. Des tentes ottomanes furent dressées dans les domaines des palais et des châteaux, et comme la toile d'origine s'effilochait, on construisit des tentes d'imitation en pierre et en brique. Au XVIIIe siècle, l'Europe se prit de passion pour la tente turque : on érigea en Grande-Bretagne en 1744 une *Turkish Tent* dans le jardin de Vauxhall et une tente turque, aujourd'hui coulée dans de la brique et du ciment blanchi à la chaux, fut installée dans les jardins paysagés de Painshill (Surrey). L'impératrice Joséphine fit aménager à Malmaison une chambre ovale en forme de tente. Dans le roman de Maria Edgeworth, *The Absentee* (1812), M. Soho, « le premier tapissier architectural de son temps », séduit Lady Clonbrony avec ses draperies de tente turque, ses ottomanes et son « papier treillissé de Trébizonde ». Au cours du dernier été de sa vie, le roi George IV d'Angleterre prit l'habitude de dîner sous des tentes aménagées au bord de l'eau. Partout, pavillons et kiosques – et même les kiosques à musique d'Europe et d'Amérique – s'inspirèrent du modèle de la tente turque.

Toutefois, contrairement aux campements organisés jusque dans les moindres détails, les jardins ottomans restèrent jusqu'au XVIIIe siècle bien moins formels, leurs odorants sentiers serpentant librement parmi les fleurs et les arbustes, rafraîchis par des canaux et des fontaines.

En arrivant en France en 1720, Mehmet Said Efendi, l'ambassadeur d'Ahmet III, fut très impressionné par les jardins de Louis XV. Le parc préféré du sultan, celui du palais de Sa'adabad, fut

Page 50 : un salon « dans le style turc », gravure coloriée à la main, Leipzig, 1779. British Library, Londres.
Page 51 : la tente du sultan avec un Européen agenouillé, miniature ottomane, détail, XVIe siècle, et tentes de cérémonie, miniature ottomane, XVIIe siècle. Musée de Topkapi Sarayi, Istanbul.
Ci-contre, en fond : Stato Militare dell'Impero Ottomano, gravure d'après L. F. Marsigli, La Haye, 1732.
A gauche : campement de l'armée ottomane, miniature, détail, XVIIe siècle. Musée de Topkapi Sarayi, Istanbul. La tente dont le toit est noici correspond aux cuisines.
Au centre : tente militaire ottomane, XVIIe siècle. Bayerisches Armeemuseum, Ingolstadt. La toile était souvent renforcée à l'extérieur de cuir et de décors en application, et à l'intérieur de doublures raffinées en velours brodé de soie.
Au centre en haut : fleuron de laiton, XIXe siècle. Musée de l'armée turque, Istanbul.

influencé par des estampes représentant Versailles et par les plans du château de Marly envoyés en Turquie par l'ambassadeur. Ce jardin fut aménagé dans une prairie connue sous le nom de « les Eaux Douces d'Asie », près de deux cours d'eau convergeant vers la Corne d'Or. Le jardin, à la française, était conçu dans le style de Versailles, avec des rangées d'arbres rectilignes et des parterres rectangulaires, le palais et les kiosques conservant un caractère résolument turc, avec leurs avant-toits en saillie, leurs coupoles dorées et leurs murs peints de couleurs vives.

Page 54 : plafond des pavillons jumeaux, ou appartements de l'Héritier, Topkapi Sarayi, Istanbul. Un soleil rayonnant représente la voûte céleste.
Page 55 : intérieur du *yali* de Sa'adullah Pacha, Istanbul. Le plafond en coupole, orné de torsades de bois peint, évoque un toit de tente.
Ci-contre : pavillon ottoman dessiné par les frères Balyan, palais de Beylerbeyi, 1861-1864. Le style Art nouveau s'est fortement inspiré des styles orientaux.
Ci-dessus : « Sièges de jardin », planche en couleur de J. B. Papworth, tirée de *Rural Residences*, Londres, 1818. La cité de tentes turque érigée lors du siège de Vienne en 1683 émerveilla l'Europe. Les tentes saisies après le siège furent installées dans les parc des palais et des châteaux. Au XVIIIe siècle, on se mit à construire en Europe des « folies » qui prenaient modèle sur ces tentes.

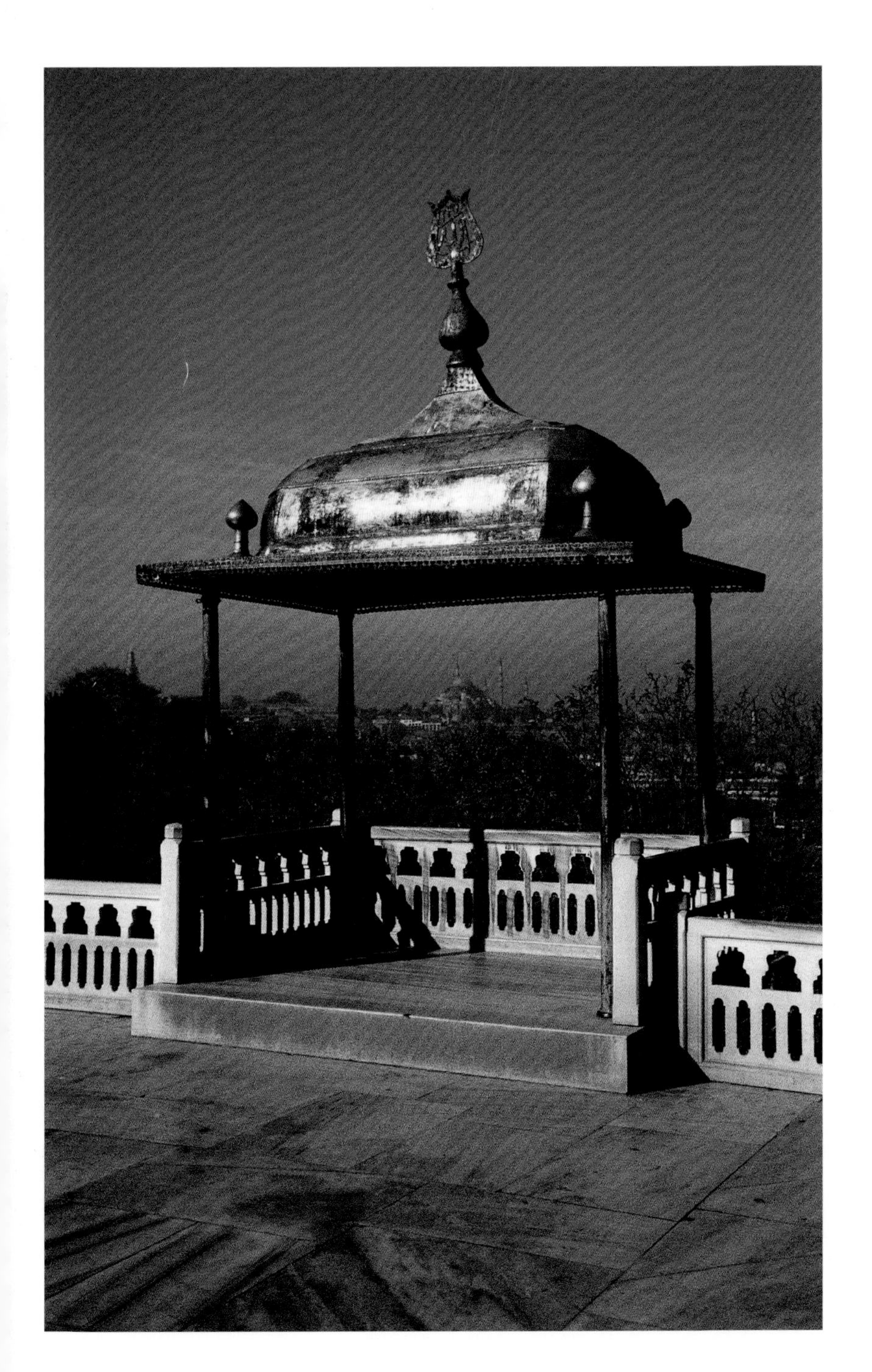

Page de gauche : Un Coin du jardin du harem, Alberto Pasini, 1877. Pasini, qui séjourna à Constantinople de 1867 à 1869, raconte dans une lettre à un ami avoir observé des groupes de femmes formant des harmonies de couleurs les plus inattendues, ce qui lui donna l'idée de résider dans cette ville, et de profiter de l'arrière-plan des eaux d'azur du Bosphore, dont les rives étaient flanquées de villas peintes comme autant de joyaux.
Ci-contre : tonnelle dorée, également appelée kiosque de l'Iftar, édifiée par le sultan Ibrahim sur la terrasse de la quatrième cour du palais de Topkapi Sarayi, dominant la Corne d'Or et la vieille ville d'Istanbul.
Ci-dessous : l'un des deux porches en bois, de forme semblable à un kiosque, du *yali* de Zeki Pacha, sur les rives du Bosphore, 1895.

EAUX DOUCES

« Les Eaux Douces d'Asie » était le nom jadis donné à une magnifique prairie traversée par deux cours d'eau se jetant dans la Corne d'Or, lieu de pique-nique très apprécié des dames et notamment des femmes du harem impérial. Celles-ci s'y rendaient fréquemment dans un bateau sur les flancs duquel étaient accrochés avec des chaînettes de petits poissons dorés ou bien des traînes de soie ornées de poissons brodés. Lord Byron écrivit, à propos des majestueuses résidences d'été en bois bâties sur le rivage :

> CHAQUE VILLA DU BOSPHORE DONNE SUR UN ÉCRAN
> NOUVELLEMENT PEINT, OU UNE RAVISSANTE SCÈNE D'OPÉRA.

Jusqu'au XVIIIe siècle, les terrains de chasse des sultans s'étendaient sur les rives couvertes de forêts épaisses du Bosphore, et seuls quelques rares personnages de haut rang avaient le privilège de pouvoir construire au bord du fleuve. Progressivement apparurent vignes, jardins et vergers, chaque village se spé-

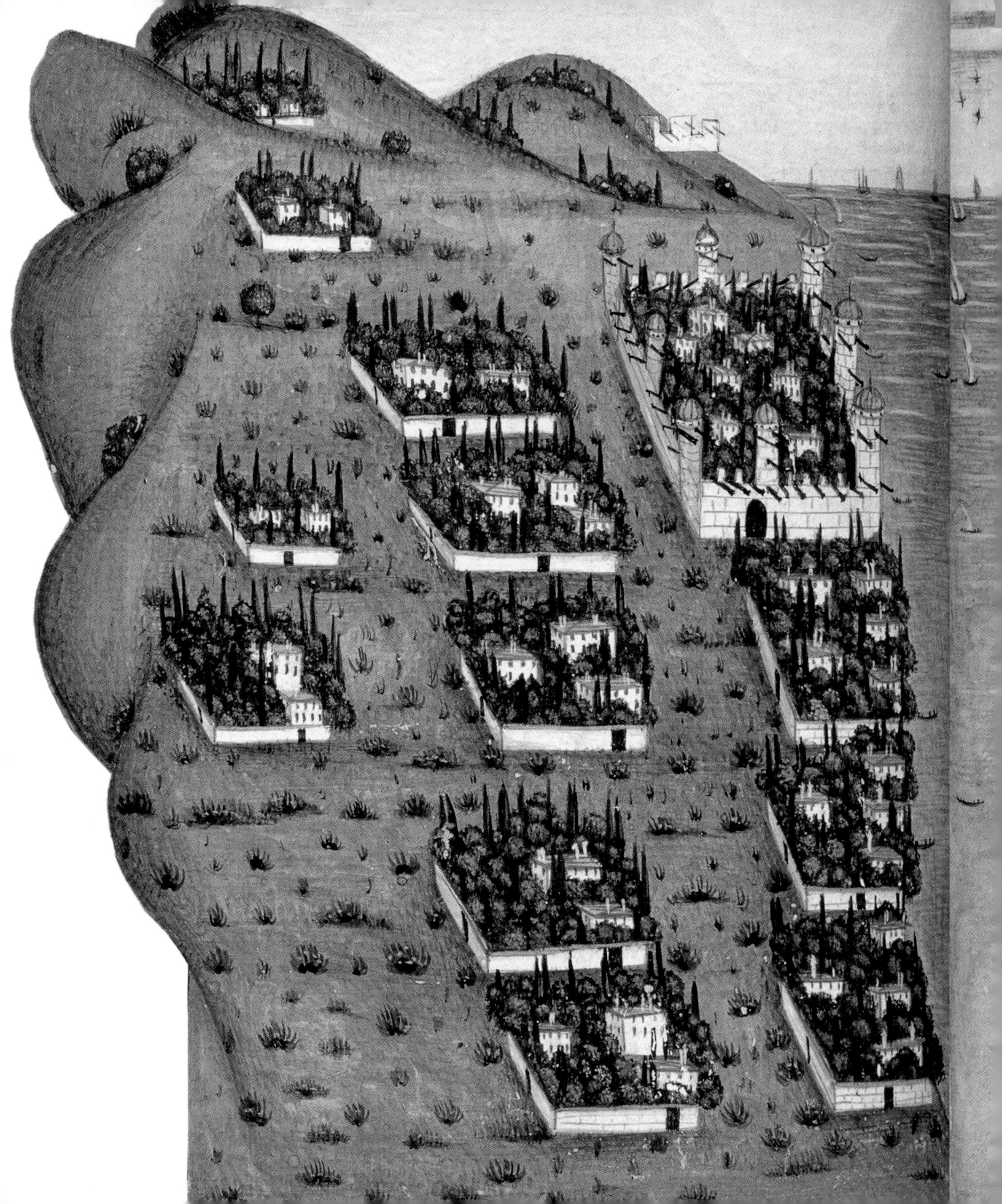

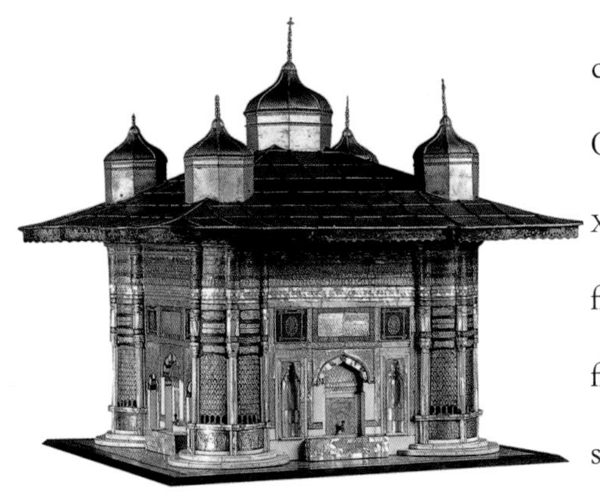

cialisant dans la culture d'un fruit différent : les cerises à Ortakoy, les mûres à Meçidiyekoy. Ahmet III fit édifier au XVIIIe siècle de nouveaux palais le long des rives du Bosphore et fit don de certaines terres à ses courtisans favoris. De magnifiques villas en bois appelées *yali* – un mot tiré du grec *yialos* qui signifie « bord de mer » – apparurent progressivement sur la toile de fond des vertes collines boisées. La couleur dominante était le « rose ottoman », nuance que l'on peut aujourd'hui encore admirer sur le *yali* de Sa'adullah Pacha. A l'arrière de ces résidences d'été, les jardins qui s'étendaient à l'ombre des arbres et des arbustes étaient agrémentés de bassins et de fontaines, de canaux sinueux et de cascades de marbre.

Page 60 : le *yali* de Sa'adullah Pacha, peint en « rose ottoman », années 1760.
Page 61 : le *yali* de Kibrish, 1775.
Pages 62-63 : maisons sur le Bosphore, manuscrit turc, 1738-1739. British Library, Londres.
Ci-dessus : fontaine (maquette). Musée de Topkapi Sarayi.

Comme à Venise, la façade principale des demeures bâties sur la rive donnait sur l'eau et comme il n'y avait pas de marée, le rez-de-chaussée ouvrait de plain-pied sur le Bosphore, bénéficiant ainsi de la vue et du murmure de l'eau. Les fenêtres en encorbellement de nombreux *yali* font saillie directement au-dessus de l'eau, et certaines salles sont traversées de canaux taillés à même le sol, tandis que d'autres sont rafraîchies par l'eau coulant des fontaines. Partout où ils construisirent, les Ottomans érigèrent des fontaines. Après la conquête de Constantinople par Mehmet, chaque quartier fut doté d'une fontaine. Tout musulman devant se laver avant la prière, les mosquées fournissaient également de l'eau. Les fontaines du XVIIIe siècle étaient souvent des monuments semblables à de petits pavillons, et où l'on vendait aussi des fruits et des sorbets.

L'eau, le marbre et la céramique vernissée créaient une atmosphère de paisible fraîcheur. Les couleurs des surfaces peintes et des carrelages faisaient écho aux jardins s'étendant à l'extérieur. *Pages 66-67, dans le sens des aiguilles d'une montre* : fontaine, *Arab Hall*, Leighton House, Londres. Les autres fontaines sont toutes situées dans le palais de Topkapi Sarayi, Istanbul : fontaine de Soliman le Magnifique, chambre des Audiences ; fontaine de la quatrième cour (l'une des parties d'origine du palais, réaménagée au XVIIe siècle) ; fontaine à trois niveaux, chambre à coucher de Murat III ; vestibule de la Fontaine, harem.

بسم الله الرحمن الرحيم

INTÉRIEURS TURCS

La Turquie est un pays de tremblements de terre et Istanbul est situé sur une ligne de faille. Hormis les grandes mosquées de pierre et le palais du sultan, Topkapi Sarayi, un grand nombre d'édifices et la plupart des habitations furent généralement construits en bois, ce qui occasionnait moins de dommages en cas de séisme. Mais le bois ne résiste pas au feu et la ville fut à maintes reprises ravagée par les flammes. En 1574, un incendie se déclara dans les cuisines du palais de Topkapi Sarayi, les réduisant en cendres ainsi que les bâtiments environnants. En 1757, un incendie prit naissance dans la Corne d'Or et se propagea dans dix directions, détruisant la moitié de la ville. Bien que de nouvelles techniques de construction soient apparues à la fin du XIXe siècle, les habitants d'Istanbul étaient destinés à vivre pendant longtemps sous la menace du feu – « ce dragon sauvage cinglant alentour », comme l'écrivit Le Corbusier qui, en 1911, assista là-bas à un incendie.

La maison ottomane traditionnelle était organisée de façon très pratique. Jusqu'au XIXe siècle et l'adoption de réformes destinées à rapprocher la Turquie de ses voisins européens, on utilisait très peu de meubles. L'espace était cloisonné, tout comme la vie quotidienne. Les lits n'étaient que de simples matelas, aérés le matin avec le reste de la literie, puis roulés et rangés jusqu'à la nuit. Les repas étaient servis sur un grand plateau posé sur de petits pieds pliants. Un grand brasero, le *mangal*, faisait fonction d'âtre, et une banquette basse, le *sedir*, recouverte d'étoffes, de kilims et de coussins, courait le long de trois côtés d'une pièce. Les tapis, disposés à même le sol, souffraient moins de l'usure qu'en Occident, car on retirait ses chaussures avant d'entrer dans la maison.

Le plan de base de la maison traditionnelle est cruciforme : les pièces rayonnent dans quatre directions à partir d'une pièce centrale, souvent coiffée d'une coupole. La salle principale, une grande pièce de réception située à l'étage, est appelée *sofa*, terme qui peut également décrire une estrade surélevée aménagée dans une baie, habituellement recouverte de tapis. Héritage de la cité byzantine, le rez-de-chaussée pouvait parfois être orné de mosaïques de galets, plus particulièrement dans les *yali*. Les plafonds peints, les trompe-l'œil et les peintures murales étaient chose courante dans ces maisons, les plafonds, les fenêtres, les cadres et les murs étant sculptés et ornés de motifs floraux, de rosettes et d'arabesques colorés et dorés. Des niches percées dans les murs abritaient des pots de fleurs et des brûleurs à encens en verre.

Page 69 : le *yali* de Kibrish, XVIIIe siècle. Le décor du jardin d'hiver, avec sa fontaine en marbre et son sol en mosaïque, est un héritage de Byzance.
Page 70 : niches revêtues de carreaux d'Iznik, et une porte des appartements du harem à incrustations de nacre et d'écaille. Topkapi Sarayi, Istanbul.
Page 71 : la « chambre des Fruits » d'Ahmet III, aménagée pendant l'ère des Tulipes (1703-1730). Topkapi Sarayi, Istanbul.
Ci-dessus : placard aux portes en marqueterie de bois fruitier et de nacre. Collection privée, Paris. On fabriqua ce genre de meubles à partir du milieu du XIXe siècle, sous l'influence des réformes de Mahmut II, et à mesure que les conceptions européennes de la décoration d'intérieur pénétraient en Turquie.

Au XIXe siècle, à mesure que les riches Ottomans abandonnèrent les traditionnelles banquettes construites autour de la pièce au profit des chaises et des canapés européens se développa un nouveau style qui associait aux apports de l'Occident une saveur orientale. La table volante ronde, à plusieurs côtés et incrustée de nacre, fut l'un des meubles qui connut le plus de succès. Le mobilier sculpté, marqueté et orné de glands était très recherché : il permettait de meubler les intérieurs « orientalistes » et s'harmonisait bien avec les tableaux également orientalistes souvent exposés sur des chevalets incrustés de nacre. Dans les demeures occidentales qui arboraient le nouveau « divan », on adoptait volontiers un mode de vie à l'orientale, les tapis et les coussins invitant à s'abandonner nonchalamment et à se détendre. Le bain turc – le *hammam* avec ses carrelages décoratifs – était à cette époque considéré comme le comble du chic.

Les plus anciens carreaux de céramique produits à Iznik présentaient des coloris bleus, vert sauge et pourpre, palette qui fut profondément modifiée après 1551 : durant la seconde moitié du XVIe siècle prédomina en effet un intense rouge corail. Ce rouge dit « bol d'Arménie » était mélangé à une argile jusqu'ici utilisée par les apothicaires à des fins médicinales. Cette couleur de « cire à cacheter » perdit progressivement de sa qualité au cours du siècle suivant. L'acquisition d'un carreau islamique aux coloris éclatants incita le céramiste français Joseph-Théodore Deck à étudier les techniques du Moyen-Orient. Il s'en inspira dans les créations exceptionnelles qu'il produisit à partir du milieu du XIXe siècle. Se passionnant pour l'étude des formes et des coloris de la céramique islamique, Deck fut à l'avant-garde des artistes potiers qui allaient révolutionner la céramique européenne. D'autres céramistes, comme William de Morgan par exemple, se tournèrent eux aussi vers l'Orient pour y puiser leur inspiration. L'Art nouveau, dont le développement doit beaucoup à Louis Tiffany et à Arthur Liberty, plonge ainsi ses racines dans les arabesques et la calligraphie de l'Islam, dans les sinueuses formes végétales de l'art oriental, et Istanbul abrite à ce titre, tant dans le domaine de l'architecture que dans celui de la décoration intérieure, des trésors comparables à ceux de Vienne ou de Paris.

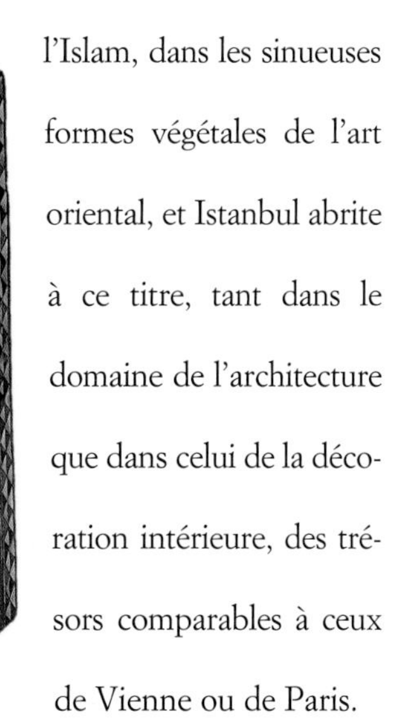

Ci-contre : console étroite en marqueterie de nacre, probablement du XVIIIe siècle. Collection privée.
Ci-dessus : détail d'une porte en marqueterie de nacre du palais de Topkapi Sarayi, montrant un des motifs ottomans préférés à cette époque, le *çintamani* – trois pois disposés en triangle, symbole d'origine bouddhiste qui devint le blason de la dynastie des Timurides (celle de Timur-Lang, ou Tamerlan, et de ses descendants aux XIVe et XVe siècles). Complété de lignes onduleuses, il évoque la robe du léopard ou du tigre et a les mêmes significations royales et héroïques.
Pages 74-75, de gauche à droite : murs ornés d'œillets au pochoir imitant un velours ottoman, vestibule de la maison de l'auteur, Londres. Moucharabieh en bois sculpté qui donne sur la *Fountain Room*, Leighton House, Londres. Le peintre orientaliste Lord Frederick Leighton séjourna à Constantinople en 1867. Il fit aménager en 1877-1879 dans sa résidence à Holland Park le remarquable *Arab Hall,* dessiné par George Aitchison. Pierre Loti, l'auteur de *Aziyadé* (1879), qui situa ses romans dans les pays lointains, orientalisa également, à Rochefort, sa maison natale avec une mosquée et d'autres pièces orientales, transformant ce qui avait été la chambre de sa grand-tante Berthe en salon turc.

Ci-contre : plate-forme de bois surélevée dans le jardin de la villa *(konak)* restaurée de l'artiste Sema Menteseoglu, où elle a également aménagé son atelier. Cette villa est située dans la campagne de Turquie méridionale, à proximité de Dalaman. La maison ottomane traditionnelle ne possédait pas de pièce spécialement réservée au sommeil ou aux repas. Les mets étaient transportés et servis sur de grands plateaux posés sur des petits pieds pliants. *Page de droite :* Sema Menteseoglu a restauré avec amour la maison construite en 1878 par son grand-père Ali Riza Pacha, sur le terrain du palais en ruines de son aïeul. Le vestibule fait office de bureau.

HAREM ET HAMMAM

Le mot « harem » signifie : ce qui est interdit, protégé, secret. Les appartements réservés aux femmes à la cour étaient appelés *haremlik*, ceux des hommes *selamlik*. Seul le maître de maison avait le droit d'entrer dans le *haremlik*. *Oda* veut dire chambre : l'odalisque est par conséquent la femme de la chambre – celle qui vit dans le harem.

A l'intérieur du harem, la hiérarchie féminine était organisée de façon complexe. Chaque femme occupait en effet un rang déterminé par son âge, son statut et son niveau d'éducation. Dirigé par la mère du sultan, le harem avait un personnel, des méthodes d'administration et des coutumes qui lui étaient propres. Les postes de responsabilité étaient détenus par des femmes qui avaient progressé dans tous les domaines de l'enseignement dispensé dans le harem, mais qui avaient perdu toute chance d'accéder au statut de favorite *(kadin)* – elles pouvaient cependant espérer épouser un fonctionnaire de haut rang car, très au courant des mœurs du palais, elles représentaient un atout pour les hommes ayant de l'ambition.

Les jeunes femmes étudiaient le chant, la danse et l'art de la broderie. Chacune recevait un *pashmaklik* (littéralement, « argent de babouche »), qu'elle dépensait pour son usage personnel en bijoux, étoffes, rubans et autres objets de luxe. Plus

son rang était élevé, plus une femme pouvait investir son argent ou le dépenser en bonnes œuvres. Un grand nombre de mosquées, d'hôpitaux et d'écoles furent ainsi financés par les favorites, les épouses et les mères des sultans.

Le mythe du sultan débauché ayant une prédilection pour les femmes obèses nous vient d'Ibrahim, qui accéda au trône en 1640 et assouvit ses fantasmes sexuels avec une Arménienne énorme appelée « Morceau de Sucre », découverte après une recherche à travers tout le pays. Mais certains sultans préféraient les relations monogames. Soliman le Magnifique scandalisa ainsi la cour impériale en épousant Roxelane, qu'il aimait passionnément.

Un des rituels les plus importants de la vie des femmes consistait à se rendre chaque semaine au hammam. « C'est le café des femmes, où sont colportées toutes les nouvelles de la ville, où sont inventés tous les scandales », écrivit Lady Mary Wortley Montagu après être allée pour la première fois dans un bain turc à Sofia, en 1716, alors qu'elle se rendait en

Page 78 : La Réception, John Frederick Lewis, 1873. Yale Center for British Art, collection Paul Mellon. Thackeray qualifia Lewis d'« Européen turcisé » et de « languissant mangeur de lotus ».
Page 79 : socques de hammam turques, bois et vermeil.
Pages 80-81 : le salon de réception des appartements du harem, palais de Topkapi Sarayi, Istanbul. Les murs peints sont ornés de carreaux de céramique d'Iznik et les volets incrustés de nacre.
Page de gauche : L'Esclave blanche, Lecomte du Nouy, 1888. Musée des Beaux-Arts de Nantes. Assise sur des coussins de velours *(yastik)*, une Circassienne à la peau claire est drapée dans une serviette turque brodée.
Ci-dessus : Le Massage, J. E. Debat-Ponsan, 1883. Musée des Augustins, Toulouse.

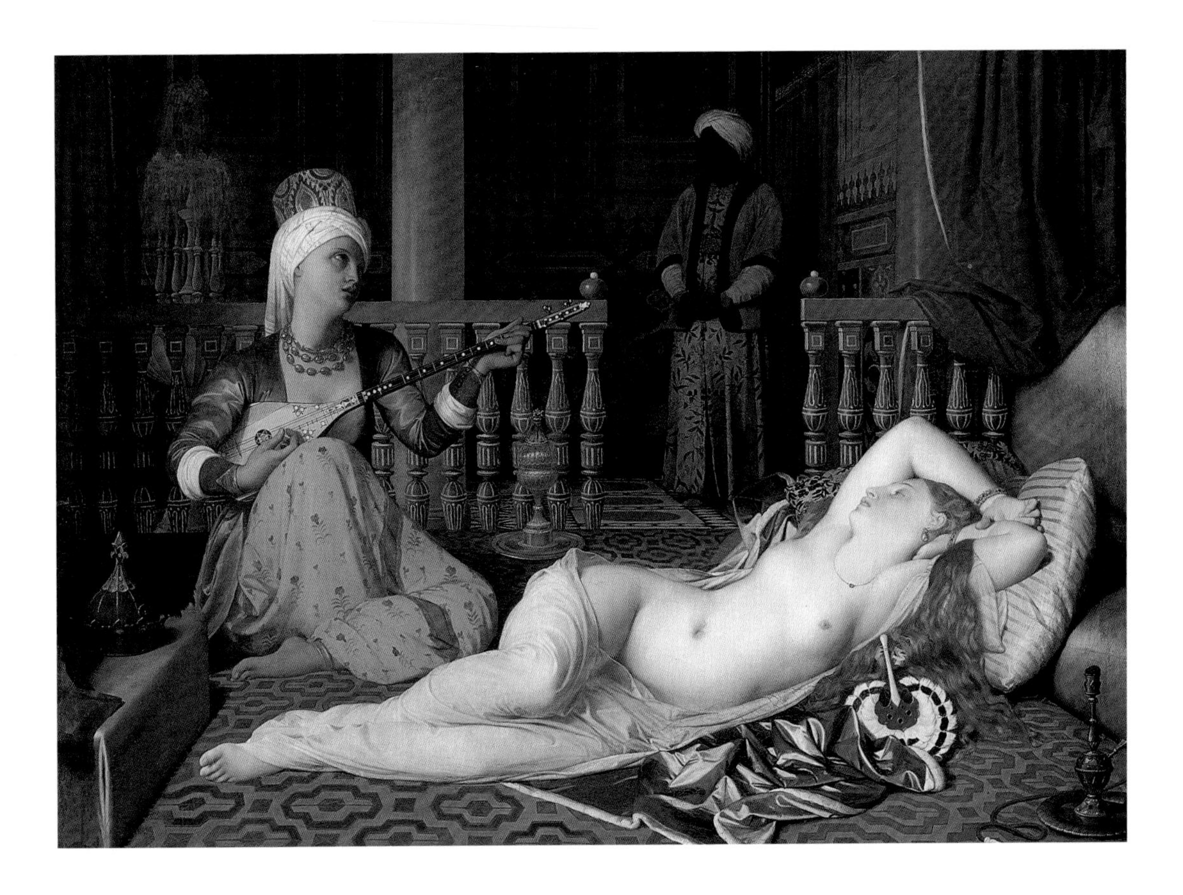

Ci-dessus : L'Odalisque à l'esclave, Jean Auguste Dominique Ingres, 1839. Fogg Art Museum, Cambridge, Massachusetts. Le peintre s'inspira d'un passage des *Turkish Embassy Letters* de Lady Mary Wortley Montagu, dans lequel elle décrit sa découverte du bain turc à Sofia. Ingres, qui recopia ce texte dans son carnet de croquis, revint à maintes reprises sur ce thème. Cette scène est tout particulièrement fantaisiste.

Turquie avec son mari. Un siècle plus tard, en 1817, le jeune Ingres recopia dans son carnet de croquis la description qu'en avait faite Lady Mary, dont un des passages le frappa particulièrement : « Je pense qu'il y avait en tout deux cents femmes [...] les premiers sofas étaient recouverts de coussins et de somptueux tapis sur lesquels s'asseyaient les dames, leurs esclaves se tenant derrière elles, sur un deuxième sofa, sans aucune distinction de rang ou de vêtement, puisque toutes étaient en tenue d'Eve [...] un grand nombre de femmes superbes se tenaient nues, dans différentes attitudes, certaines travaillant, d'autres buvant du café ou un sorbet, plusieurs étant négligemment allongées sur leurs coussins. » Les nombreuses études d'odalisques nues et de scènes de hammam imaginaires que peignit Ingres aboutirent quarante-cinq ans plus tard au *Bain turc* (1863).

Lady Wortley Montagu évoqua également ses conversations avec le pacha Ahmet Bey, chez qui elle séjourna avec son mari : « J'ai avec lui de fréquentes discussions sur les coutumes différentes de nos deux pays, et notamment sur l'enfermement des femmes. Il m'assure que tout ce qu'on dit à ce sujet est faux ; seulement, dit-il, nous avons l'avantage que, lorsque nos épouses nous trompent, personne ne le sait. » Il se pourrait que ces conversations aient inspiré à Lady Mary une de ses réflexions favorites, à savoir que le soi-disant assujettissement des femmes dans le monde islamique leur conférait en fait le pouvoir. Une fois arrivée dans la capitale, l'une de ses premières préoccupations fut de rencontrer des Turques puis d'apprendre leur langue afin de pouvoir converser plus librement avec elles.

Ci-dessous : Sultane turque, Lucknow, 1810-1820. Chester Beatty Library, Dublin.
Les membres des familles régnantes mogoles, dont les aïeux étaient turcs, prenaient souvent pour épouses des Ottomanes.
Double page suivante, dans le sens des aiguilles d'une montre à partir de la gauche : scènes de hammam tirées d'un recueil manuscrit de poèmes de Nizami, XVIe siècle, Chester Beatty Library, Dublin ; miniature, XVIIe siècle, musée de Topkapi Saray ; illustration d'un poème érotique turc de Fezil Bey, XVIIIe siècle, British Library, Londres ; femme aux mains et aux pieds teints au henné se lavant, Abdullah Buhari, 1741-1742, musée de Topkapi Sarayi.

À LA MODE TURQUE

Le dimanche de Quinquagésime de l'an 1510, le comte d'Essex et sa suite apparurent à la cour du roi Henri VIII d'Angleterre « habillés à la mode turque, avec de longues robes de Bawdkin [une soie orientale], poudrés d'or et coiffés de couvre-chefs de velours cramoisi, avec de grands rouleaux d'or, et ceints de deux glaives appelés cimeterres ». A Constantinople, les négociants occidentaux adoptaient volontiers le costume ottoman, se laissant pousser la barbe à la mode musulmane. Les ambassadeurs européens et les voyageurs fortunés invitaient pour leur part souvent un peintre à les accompagner, les tableaux, estampes et livres illustrés décrivant les costumes et les merveilles de l'Orient faisant en Europe l'objet d'un marché florissant. Jean-Baptiste Van Mour (1671-1737) fut l'un des tout premiers de ces artistes. Séjournant à Constantinople auprès de l'ambassadeur de France, le marquis de Ferriol, il contribua assurément à lancer la mode européenne des portraits en costume oriental. Des membres de la cour ottomane, et même le sultan en personne se laissèrent portraiturer par lui, et le recueil de gravures présentant les vêtements ottomans qu'il publia en 1712-1713 fut réimprimé à maintes reprises pour satisfaire à la demande du public européen.

Le personnage du Turc, que l'on retrouve dans les ballets, les opéras et les pièces de théâtre de l'époque, servait souvent de repoussoir à l'héroïsme européen ou constituait simplement un objet de dérision. La plu-

part des récits héroïques de la fin du XVIe siècle mettaient en scène des naufrages, des pirates, des amants maudits par le sort et des Turcs sanguinaires. La figure du renégat, un Européen « devenu Turc », était tout autant une invention européenne que le « Maure » qui représentait tout ce qui était oriental et étranger à l'Europe. En Angleterre, la première représentation au théâtre du chrétien converti à l'islam apparaît dans *The Tragedye of Solyman and Perseda* de Thomas Kyd en 1588, puis dans *The Fair Maid of the West* (1604-1610) de Thomas Heywood et *The Turk* (1607) de John Mason.

Après le siège de Vienne en 1683, les théâtres multiplièrent les pièces et les opéras mettant en scène des Turcs perfides (et polygames) cherchant à dépouiller de vertueuses héroïnes occidentales, mais dont les projets étaient contrecarrés par de chevaleresques héros occidentaux. Un siècle s'était écoulé depuis le siège de Vienne lorsqu'en 1782 fut représenté pour la première fois *L'Enlèvement au sérail* de Mozart ; la passion pour les thèmes turcs atteignait alors son apogée. Plus de deux siècles plus tard, cet opéra est encore régulièrement mis en scène, en turc, dans l'enceinte même du palais de Topkapi Sarayi à Istanbul.

L'Empire ottoman exerça également une puissante influence sur la tradition musicale occidentale. Celle-ci remonte au XVe siècle, c'est-à-dire à l'époque des affrontements militaires. Les troupes turques étaient alors

Page 88 : La Sultane, Charles Van Loo, XVIIIe siècle. Musée Chéret, Nice. Charles Van Loo réalisa en 1772 des cartons de tapisserie pour la manufacture des Gobelins. Cette commande ayant pour thème les coutumes du Levant devait inclure cinq épisodes de la journée type d'une sultane.
Page 89 en haut : Lady Mary Wortley Montagu et son fils, Jean-Baptiste Van Mour. National Portrait Gallery, Londres.
Page 89 en bas : porte-parfum, Dresde, XVIIIe siècle, argent et or émaillé et orné de pierres précieuses. Museo degli Argenti, Florence. Ceci est un parfait exemple de « turquerie » – objet créé en Occident, au XVIIIe siècle en particulier, évoquant les mystères de l'Orient.
Ci-dessus : quadrille turc, procession de cérémonie à la cour de Louis XIV en 1662.

menées par une fanfare composée de trompettes, de fifres, de tambours et de cymbales, idée qui fut bientôt reprise en Europe, tandis que le *chaghana* des janissaires, l'étendard en forme de croissant auquel étaient accrochées des queues de cheval et des cloches et qui était porté devant le régiment, devenait un objet très recherché en Occident – le célèbre « chapeau chinois ».

Dans le cadre de sa politique de modernisation, Mahmut II abolit l'infanterie des janissaires en 1826, puis décida que son armée allait dorénavant marcher au son d'une fanfare occidentale. Aussi nomma-t-il Giuseppe Donizetti, le frère du compositeur Gaetano Donizetti, à la tête de la Fanfare impériale. A la fin de sa vie, il forma et dirigea un orchestre composé de femmes du harem pour divertir Abdül-Hamit, un sultan amateur d'opéra qui exigeait que les dénouements tragiques des pièces soient réécrits – Violetta recouvrait la santé tandis que la petite main froide de Mimi finissait par se réchauffer et qu'elle aussi revivait. *Rigoletto*, l'opéra préféré du sultan, fut rebaptisé *L'Opéra de la fille du roi*.

Ci-dessus : « turquerie », peinture sur verre française représentant une scène imaginaire à la turque, XVIIIe siècle. Collection privée.
Ci-dessous : groupe en costumes turcs, détail d'une gravure de Cochin représentant un bal masqué à Versailles, organisé par Louis XV pour célébrer le mariage du dauphin, XVIIIe siècle. Louvre, Paris.

Après le traité de Karlowitz en 1699, les relations turco-européennes se détendirent et, avec l'arrivée en 1720 de Mehmet Efendi, le premier ambassadeur ottoman à la cour du roi de France, l'engouement pour les « turqueries » et autres objets exotiques se répandit rapidement. La « turcomanie » atteignit un nouveau sommet lorsqu'en 1742, le jeune Said Efendi, le fils de Mehmet, fut à son tour nommé ambassadeur à Paris. Madame de Pompadour, la favorite de Louis XV, posa sous les traits d'une sul-

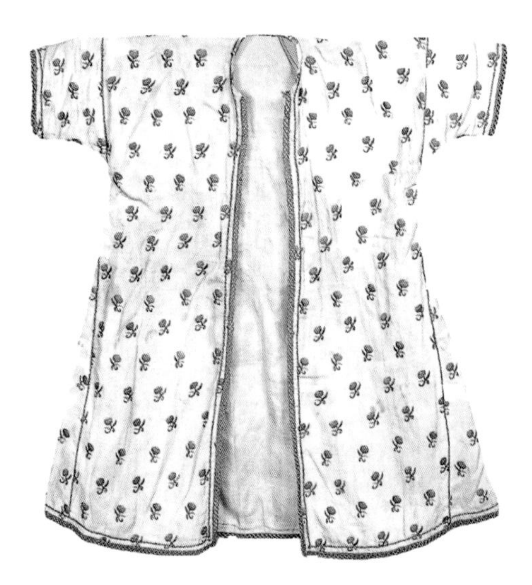

Ci-dessus : entari (manteau) d'enfant, XVIIIe siècle, coton brodé de fils de soie et d'or. *Ci-dessous :* pantalon d'enfant à bottines de cuir intégrées, XVIIe siècle. Ces deux vêtements sont conservés au musée de Topkapi Sarayi, Istanbul. *Page de droite : Femme turque et son esclave*, J. E. Liotard, 1742. Musée d'art et d'histoire, Genève. Les deux personnages sont chaussés de socques afin d'avoir les pieds au sec au hammam. Liotard fut surnommé « le peintre turc » à cause de ses portraits d'Européens vêtus à la turque et à cause de sa barbe et de ses costumes turcs.

tane dans trois tableaux de Charles Van Loo. Pour ne pas être en reste, Madame du Barry commanda également à Van Loo quatre portraits « en sultane » dont on disait qu'ils devaient raviver l'ardeur du roi par l'évocation de quelque promesse orientale.

Les dames portaient des robes circassiennes et se fardaient à « l'incarnat circassien ». Les turbans qui, en 1778, étaient du dernier cri furent remplacés en 1781 par de petits bonnets turcs à plumet. Jane Austen portait une toque « mamelouke » avec une attache de plume en forme de croissant. Les récits mettant en scène des Turcs furent dès lors écrits avec davantage d'authenticité, et les *Turkish Embassy Letters* (1763) de Lady Mary Wortley Montagu, qui relatent son séjour à Constantinople en 1716, rencontrèrent un succès immédiat, tout comme *L'Espion du Grand Seigneur dans les cours des princes chrétiens* (1684), publié quelques années auparavant par un Italien ayant vécu en France, Giovanni Marana, et qui narrait les tribulations d'un Turc à Paris. Ce livre très populaire au XVIIIe siècle inspira les *Lettres persanes*.

Hans Christian Andersen fut l'un des nombreux voyageurs à visiter la Turquie au XIXe siècle. Ses carnets de notes et sa correspondance sont pleins de dessins représentant des derviches. Dans *Le Coffre volant*, il décrit les aventures du fils d'un négociant, un garçon pauvre qui ne possède rien d'autre qu'une robe de chambre et des pantoufles. Lorsque celui-ci arrive par magie en terre turque, il s'y sent parfaitement à l'aise, car « tous les Turcs portent des robes de chambre et des pantoufles ».

Ci-contre : Victoria, princesse royale en costume turc, Sir W. C. Ross, 1850. The Royal Collection, HM Queen Elizabeth II. Cette miniature, qui représente la princesse âgée de dix ans (elle sera plus tard grâce à son mariage impératrice d'Allemagne et mère de l'empereur Guillaume II), fut offerte en cadeau d'anniversaire à la reine Victoria par le prince Albert en mai 1850.
Ci-dessus : étude de costumes pour les Turcs de l'opéra *La Pellegrina*, 1589. Biblioteca Nazionale, Florence.
Page de droite : La Comtesse Mary de Coventry, J. E. Liotard, v. 1750. Musée d'art et d'histoire, Genève. La comtesse porte un *entari* (manteau) brodé et un *shalwar* (pantalon de harem) en soie ; au sol, un tapis Ouchak à médaillons. Ce même tapis réapparaît dans d'autres portraits, ce qui laisse penser qu'il appartenait au peintre qui l'utilisait comme accessoire d'atelier.

CAFÉ ET TABAC

Originaire d'Ethiopie, le café fut d'abord cultivé au Yémen où on l'utilisait dans les cérémonies soufi. Son nom dérive du turc *kahve*, à l'origine un terme poétique désignant le vin. La Syrie et le Yémen firent partie de l'Empire ottoman dès le début du XVIe siècle, et le premier café public de Constantinople fut fondé en 1554 par deux Syriens qui s'en retournèrent trois ans plus tard dans leur pays en ayant amassé une petite fortune.

Importé d'Amérique et introduit à Constantinople par des négociants anglais en 1601, le tabac semble avoir été considéré dès l'origine comme l'accompagnement naturel du café. On vitupéra d'abord contre lui dans les mosquées, puis Murat IV édicta en 1633 une interdiction de fumer sous peine de mort, avant que le mufti de Constantinople n'autorise la consommation de tabac en 1647. A la fin du XVIIIe siècle, il était devenu non seulement la principale exportation de l'Empire ottoman mais aussi le principal signe du statut social, que dénotaient la longueur, la beauté ainsi que le matériau de la pipe et de son bouquin (embout). Le long tuyau était fabriqué en bois de cerisier ou de jasmin, les bouquins en ambre ou en ivoire. Le narguilé, ou pipe à eau, était mis dans les cafés à la disposition des consommateurs, ceux-ci apportant leur propre bouquin pour aspirer la fumée de tabac et d'opium.

Page 96 : café turc, détail d'une miniature du XVIe siècle. Chester Beatty Library, Dublin. *Page 97 en haut :* tasses en porcelaine, dynastie Ming, incrustées d'or et de pierreries en Turquie au XVIIe siècle. Musée de Topkapi Sarayi, Istanbul. *Page 97 en bas et ci-contre :* le service du café, gravures de Martin Engelbrecht, Augsbourg, v. 1735. Bibliothèque des arts décoratifs, Paris. *Ci-dessus à partir de la gauche :* (deuxième illustration) bouteille turque à eau ou à vin ; aiguière de *tombak*, cuivre doré ; encensoir pour brûler l'encens et les parfums ; cafetière orientale traditionnelle adoptée en Occident pour le café et le chocolat ; (troisième illustration en partant de la droite) plat à *sherbet*, sorbet ; (à l'extrême droite) cafetière de style Iznik fabriquée par la manufacture florentine Cantagalli après 1870, l'inscription française étant inspirée d'une recette turque de préparation du café : « Noir comme le diable/Chaud comme l'enfer/Pur comme un ange/Doux comme l'amour. » *Ci-contre :* vendeur de café dans les rues de Constantinople, gravure hollandaise, XVIIe siècle.

Vers 1700, toute l'Europe avait adopté le café et le tabac. Les « cabarets de café » de Marseille et de Venise encouragèrent leur consommation et peu après 1650, un café ouvrit ses portes dans St Michael's Alley, à Cornhill (Londres). En Grande-Bretagne, « A la tête de Turc » devint l'enseigne de café la plus répandue, généralement décorée d'un Maure enturbanné – la « tête de sultan » – ou bien d'une cafetière. A Paris, le Sicilien Procope (Procopio) créa en 1686 un établissement qui devint rapidement fameux. Les premières brochures condamnant le café apparurent en 1652 : on pensait que sa consommation allait encourager les Anglais à faire acte d'apostasie au profit de l'islam. L'année suivante, il fut également vilipendé en France, cette fois-ci par des négociants en vin. Publiée à Londres en 1674, *The Women's Petition Against Coffee* déplorait le fait que les hommes désertaient leur foyer pour se rendre dans les cafés et que cette boisson les rendait incapables de remplir leurs devoirs conjugaux. On faisait du café le responsable de bien des maux, de l'impuissance à la perte de poids en passant par la mélancolie, mais on vantait aussi sa capacité à soigner certaines maladies – la lèpre aussi bien que... l'impuissance.

La renommée de Vienne en tant que capitale du café date du siège de la ville par les Ottomans en 1683. L'armée turque ayant abandonné dans sa retraite des sacs de grains de café vert, Franz Georg Kischitsky, un interprète, prépara les grains à la mode ottomane et se mit à vendre des tasses de café de porte en porte. Le croissant fut paraît-il inventé à l'époque pour célébrer la victoire sur les Turcs. Mehmet IV dépêcha en 1669 son émissaire Suleyman Aga à la cour de Louis XIV. Une rumeur selon laquelle le palais mis à la disposition de l'ambassadeur regorgeait de délices se propagea rapidement : on y servait aux visiteurs du café non sucré, à la manière des Turcs (qui le préféraient à l'époque parfumé à l'ambre gris), aussi certaines femmes l'adoucissaient-elles subrepticement avec du sucre apporté « pour les oiseaux de l'ambassadeur ». On y savourait également des sucreries, on versait de l'eau de rose sur les mains des invités, et les effluves des brûle-parfums se répandaient dans les salons.

Les manufactures de porcelaine et les orfèvres créèrent de minuscules tasses à café et des cafetières à long bec semblables à des aiguières inspirées de celles d'Orient, et certains bijoutiers fabriquèrent des étuis de métal destinés aux tasses turques dépourvues d'anse – la Suisse en particulier se spécialisa dans la fabrication d'étuis *(zarf)* émaillés et ornés de pierres précieuses destinés au marché ottoman.

A gauche : La Sultane, Charles Van Loo, milieu du XVIIIe siècle. Musée des arts décoratifs, Paris. La turcophilie atteignit son apogée en Europe au XVIIIe siècle, époque où tout ce qui provenait d'Orient, et singulièrement de Turquie, était considéré comme le comble de l'élégance. Ici, Madame de Pompadour, la maîtresse de Louis XV, a revêtu un ensemble turc ; une servante noire lui sert le café. La Pompadour posa à trois reprises en costume de sultane pour Van Loo. Pour ne pas être en reste, Madame du Barry, qui lui succéda dans le cœur du roi, commanda au même peintre quatre portraits analogues.
Ci-dessus : Le Café à Moscou, Giuseppe Tominz, milieu du XIXe siècle. Narodna Galeria, Ljubljana. A cette époque, boire un café accompagné d'une sucrerie n'était plus un loisir exquis aux connotations orientales mais un plaisir quotidien pour la bourgeoisie, tout particulièrement en Europe centrale et orientale.

Ci-dessus : Autoportrait, Horace Vernet (1789-1863). Musée de l'Ermitage, Saint-Pétersbourg.
A droite : Le Marché aux esclaves, Constantinople, Sir William Allen, 1838. National Gallery of Scotland, Edimbourg. Vernet adopte ici une pose nonchalante avec sa longue chibouk. Les costumes que l'on voit sur le tableau d'Allen sont reproduits avec exactitude, sauf qu'à l'époque où ce tableau fut achevé, les fonctionnaires avaient troqué le turban pour le fez. Comme son ami Walter Scott, Allen trouvait intéressant de romancer les faits. La condition d'esclave dans l'Empire ottoman était souvent plus favorable que celle de serviteur en Europe : il était habituel d'affranchir les esclaves après un maximum de neuf ans de service, mais ces derniers refusaient souvent leur émancipation car, dans ce cas, le maître et ses légataires étaient juridiquement tenus de pourvoir à leurs besoins durant toute leur vie. Le marché aux esclaves d'Istanbul fut fermé quinze ans après qu'Allen ait peint cette scène, mais l'esclavagisme perdura longtemps.

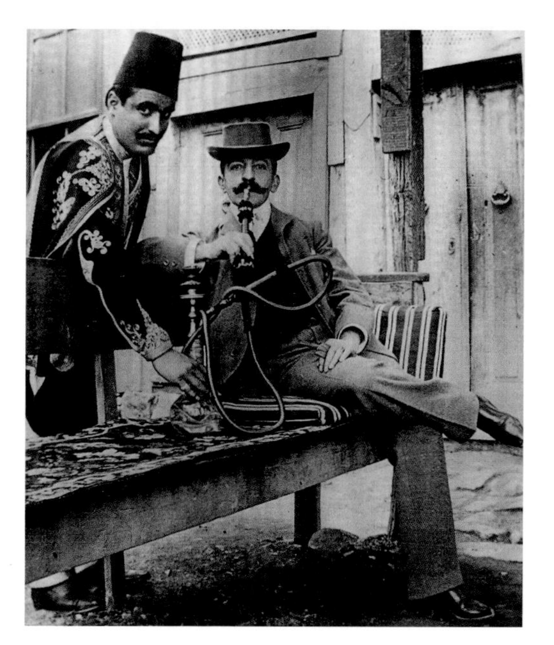

Page de gauche : Chapiteaux et pilastres du temple d'Apollon, Didyme, aquarelle de William Pars, 1765. British Museum, Londres.
Ci-dessus : tabatière en or avec inscription en petits diamants, 1838. Collection privée.
Ci-contre en haut : Sir Thomas Phillips en costume oriental, aquarelle de Richard Dadd. Collection privée. Dadd voyagea au Moyen-Orient en 1842, accompagnant Phillips, un riche avocat, en qualité de peintre. A son retour, souffrant de psychose paranoïaque, il tua son père puis fut interné en 1843 à Broadmoor, où il passa le restant de ses jours. Il y peignit des scènes orientalistes ainsi que ses célèbres tableaux féeriques. Des poètes ottomans ont chanté les « quatre coussins du plaisir » – le tabac, le café, l'opium et le vin –, et ce portrait laisse penser que Phillips fume quelque chose de plus puissant que le tabac.
Ci-contre en bas : l'écrivain Pierre Loti (1850-1923) en Turquie, photographié en compagnie de son drogman (interprète).

ORIENT-EXPRESS

Les chevaux de course prétendent tous être les descendants des chevaux turcs et arabes, dont la vigueur et la résistance permirent aux Ottomans d'effectuer leurs migrations vers l'Ouest. Des siècles plus tard, avec l'avènement du « cheval de fer », le voyage touristique moderne parvint jusqu'aux portes de l'Empire ottoman. Le 12 août 1888, l'Orient-Express entra pour la première fois en gare de Sirkeçi. La voie fut ensuite prolongée pour rallier Constantinople à Bagdad, et afin de loger les voyageurs, la Compagnie des Wagons-Lits fit construire sur les hauteurs de Galata l'hôtel Péra Palace, qui avait l'avantage d'être situé non loin des ambassades. Agatha Christie, qui écrivit *Le Crime de l'Orient-Express* et dont le mari, archéologue, travaillait au Moyen-Orient, l'emprunta régulièrement. Pour construire la voie ferrée, on dut détruire certains kiosques ottomans ainsi que l'essentiel de la muraille byzantine longeant la mer et un antique bosquet des jardins du palais où chaque mercredi soir, le seigneur des Djinns avait l'habitude de tenir conseil : « Où ira-t-il désormais ? », se lamentèrent les Stambouliotes. Il dut lui aussi s'incliner devant le progrès.

Mahmut II, qui fut un grand réformateur, chercha durant son règne (1808-1839) à assurer une forte présence ottomane en Europe, bâtissant de nouveaux palais et des casernes néo-classiques pour faire de Constantinople une expression de la puissance impériale, comme l'étaient Vienne et Saint-Pétersbourg. En 1815, il quitta le palais de Topkapi et installa sa cour au palais de Dolmabahçe. Topkapi devint progressivement un repaire de fantômes, où ne vivaient plus que les femmes abandonnées du harem et les eunuques et les

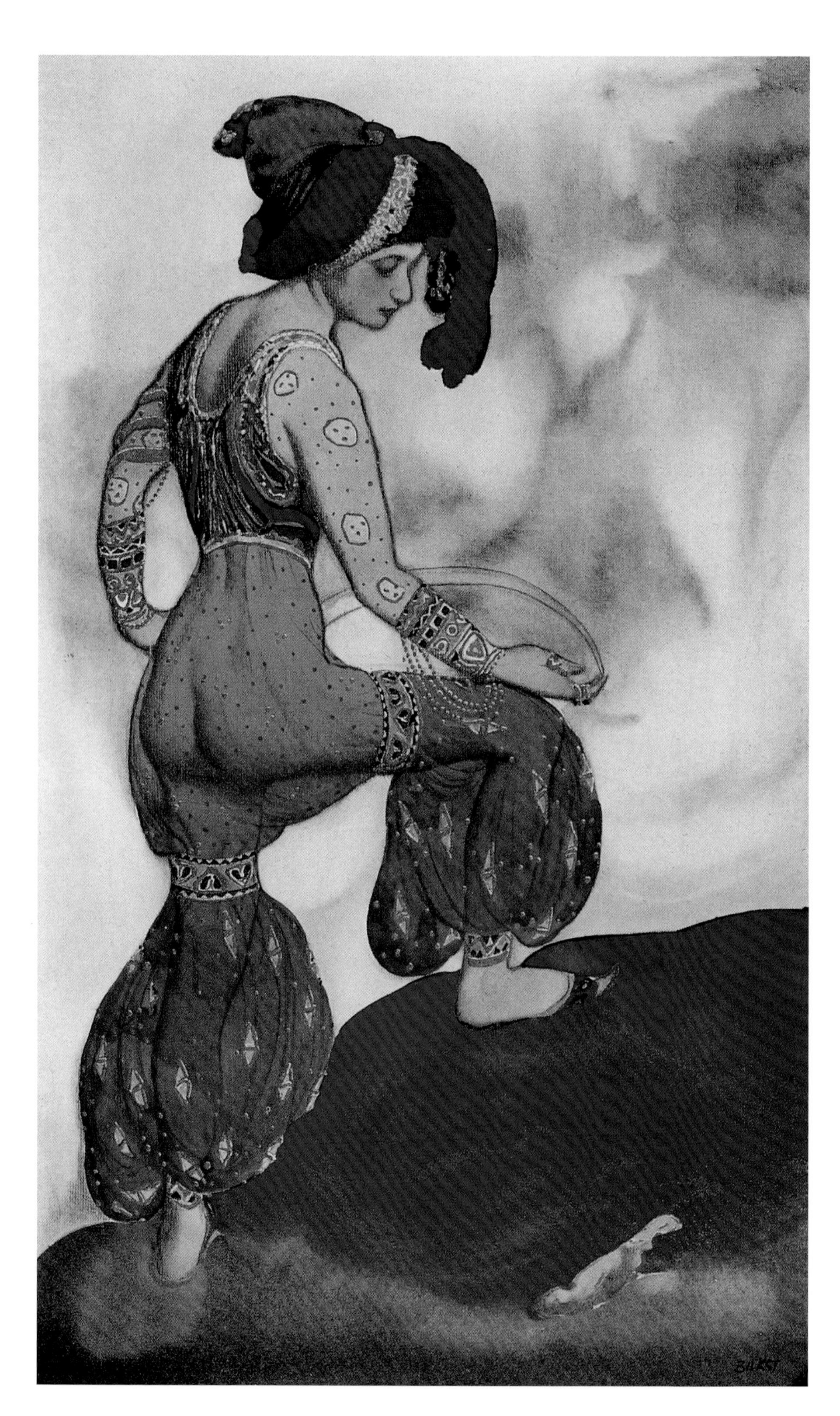

Page de gauche : affiche pour l'Orient-Express de Roger Broders, 1921. *Ci-contre :* costume pour « la Sultane bleue » de *Schéhérazade*, dessin de Léon Bakst pour les Ballets russes, 1911. Collection privée. Bakst et Diaghilev allèrent chercher jusqu'en Asie centrale les éclatantes soieries qui devaient éblouir le monde lorsqu'ils présentèrent les Ballets russes à Paris en 1909, et ce fut en partie grâce à ses sonorités turques que la musique des compositeurs russes tels que Borodine, Glinka et Rimski-Korsakov enchanta les oreilles occidentales. Dessinant à Paris des pantalons de harem et des turbans, Paul Poiret fonda également une entreprise de décoration d'intérieur pour leur offrir un cadre adéquat, dans lequel des femmes fumant avec de longs fume-cigarettes du tabac turc parfumé portaient des parfums dont les noms exotiques évoquaient l'Orient.

Ci-dessous : « L'Esclave noir et Schéhérazade », dessin pour le programme de *Schéhérazad,* des Ballets russes, sur une musique de Rimski-Korsakov, 1912. Adaptation d'un conte des *Mille et une nuits*, ce ballet relate les mésaventures du premier eunuque, un jeune homme castré pour avoir séduit une jeune fille et qui est condamné à être son esclave. *Page de droite :* le légendaire Nijinsky dans le rôle de l'esclave d'or de *Schéhérazade*, aquarelle de George Barbier pour un programme des Ballets russes, 1912. Nijinsky portait un turban et son corps maquillé de brun était paré de perles.

esclaves chargés de s'en occuper. Son ambassadeur à Londres ayant informé le sultan que la presse européenne critiquait l'architecture traditionnelle turque en bois qui rendait les constructions si vulnérables aux incendies, celui-ci décida d'envoyer de jeunes Turcs étudier l'architecture et l'ingénierie en Europe et de faire venir des architectes européens en Turquie – c'est ainsi que l'Art nouveau put retrouver ses racines orientales. Mahmut poursuivit la modernisation de l'armée initiée par Selim III (qui régna de 1789 à 1807) en s'inspirant de la méthode prussienne. Dans ses palais décorés de porcelaines de Sèvres et d'un élégant mobilier français, il dînait à la manière occidentale, buvait du champagne tous les soirs et se faisait servir le café dans des tasses avec soucoupes. Les créations des manufactures verrières étaient à cette époque de style turco-européen, notamment le cristal de Beykoz, qui ressemble au verre de Bohême, et le *çesme bulbul* (œil de rossignol) aux fines spirales opaques, bleues ou blanches qui imitaient un motif vénitien du XVIe siècle. En 1900, des céramiques d'inspiration européenne et des meubles capitonnés en bois doré, qu'on appelle aujourd'hui « Louis Farouk », connurent une vogue qui ne tarda pas à se propager. La langue française remplaça progressivement le persan comme seconde langue parlée à la cour, et les

vendeurs de journaux proposaient des quotidiens en une douzaine de langues. Les Turcs les plus conservateurs, choqués, surnommèrent Mahmut « le sultan infidèle ». Parallèlement, en Occident, la mode des bains turcs et de la peinture orientaliste était à son comble, tandis que les Européens les plus chic prirent l'habitude de se retirer après dîner dans de somptueux fumoirs décorés à la mode turque. Les deux mondes, animés par une fascination mutuelle, se courtisaient, même si l'Occident avait d'inquiétantes ambitions impérialistes.

La Turquie participa avec enthousiasme aux expositions internationales et lors de l'Exposition universelle de Paris de 1867, Abdül-Aziz, le premier sultan ottoman à se rendre en visite officielle à l'étranger, fut accueilli avec tous les honneurs. Il se rendit ensuite à

Page de droite : le pont du Bosphore à Istanbul, dû à Freeman Fox (il s'agit d'une construction turco-britannique). La Turquie n'est pas tant la porte d'entrée de l'Orient qu'un pont naturel entre l'Orient et l'Occident. Aujourd'hui, plusieurs ponts élégants relient ses rives européennes et asiatiques au-dessus du Bosphore : ils sont le symbole à la fois de la Turquie et de l'inoubliable ville qui fut pendant de si nombreux siècles sa capitale. Accomplissant un projet que le sultan Beyazit II avait déjà envisagé au début du XVIe siècle avec Léonard de Vinci et Michel-Ange, un pont franchissant la Corne d'Or jusqu'à Galata fut construit en 1836 et inauguré par le sultan réformateur Mahmut II, qui fut le premier à le traverser. La capitale de la Turquie moderne – dont la superficie est supérieure à celle de la France et de l'Allemagne réunies – est Ankara, mais Istanbul n'en demeure pas moins le véritable cœur du pays.

Londres où, arrivant à cheval pour dîner à Guildhall, son fez orné d'une aigrette de diamants, il fut acclamé par la foule massée le long des trottoirs.

L'impératrice Eugénie séjourna à Constantinople en 1869. Sa toilette fut étudiée dans les moindres détails, et bientôt des escarpins remplacèrent les babouches turques, la jupe fut préférée au *shalwar* (pantalon de harem), et les sultanes exigèrent d'être habillées par Worth, le couturier d'Eugénie. Si cette intrusion des modes européennes dans la vie traditionnelle turque indignait Pierre Loti, la ville s'enrichit cependant de ce grisant mélange de populations et de styles. Les chemins de fer russes progressèrent vers l'Est à la fin du XIXe siècle, et ce fut en Asie centrale turque que Bakst et Diaghilev se procurèrent les éclatantes soieries qui allaient bientôt éblouir le monde lorsque les Ballets russes se produisirent à Paris en 1909. Matisse peignit ses langoureuses odalisques au cours des années 1920, et avec l'invention du cinéma, l'Occident donna du harem une vision particulièrement fantasque.

Un flot de réfugiés fuyant la Révolution russe de 1917 débarqua à Constantinople au début du XXe siècle. Véritable nid d'espions dans les années 1920 et 1930, le bar du Péra Palace bruissait de conversations clandestines et ses murs étaient témoins de dangereux secrets, tandis que son petit ascenseur doré comme une cage à oiseaux transportait d'énigmatiques comtesses russes vers de mystérieux rendez-vous.

Aujourd'hui encore, le Bazar respire les effluves capiteux des épices, croule sous les tapis et étincelle des feux des pierreries et des soieries provenant de toutes les régions qui formèrent jadis l'Empire ottoman. Les anciens palais sont désormais des musées où affluent les touristes du monde entier, qui résident et se restaurent dans d'autres palais aménagés en hôtels, mais quand les portes de Topkapi Sarayi se referment pour la nuit, le seigneur des Djinns rassemble une fois encore sa cour dans les jardins du palais.

690

REMERCIEMENTS

A ma mère, Irene Gillam, et à ma fille, Chloe Franses,

avec tout mon amour et mes remerciements.

Je tiens également à remercier ici Lord et Lady John Scott, John et Peggy Carswell, Anne Engel, Kasmin, Naz et Azmet Jah, Ilhan Nebioglu, Dyala Salam, Richard Trescott, Simon Trewin.

CRÉDITS PHOTOGRAPHIQUES

Bridgeman Art Library, page 16 ; J. L. Charmet, pages 27, 98, 99, 108, 109 ; Christie's Images, pages 29 *(en bas à droite)*, 58 ; Eski Levant Carpets, page 48 ; Photographie Giraudon, page 43 ; photo Heidi Grassley © Thames & Hudson Ltd, Londres, page 59 ; Robert Harding, page 56 ; Hutchison Picture Library, page 67 *(en haut)* ; Massimo Listri, pages 54, 66, 66-67, 70 *(à gauche et à droite)*, 71, 80-81, 82 ; James Mortimer/Interior Archive, page 2 ; Josephine Powell, pages 24 *(toutes)*, 25 ; © photo RMN, Paris, pages 17, 91 *(en bas)* ; Scala, pages 6, 22, 23, 37, 40, 89, 94, 101, 102 ; Fritz von der Schulenburg/Interior Archive, pages 47, 55, 66-67, 69 ; Fritz von der Schulenburg/*Cornucopia*, pages 76, 77 ; Sotheby's, 41, 105 *(en bas)* ; Simon Upton/Interior Archive, page 59 ; Francesco Venturi/KEA Publishing, pages 60, 61, 67 *(en bas à droite)*, 111 ; Wagon-Lits Diffusion/© ADAGP, Paris et DACS, Londres 2001, page 106.

Les musées, les bibliothèques et les collections particulières ayant fourni les autres photographies sont mentionnés dans les légendes.

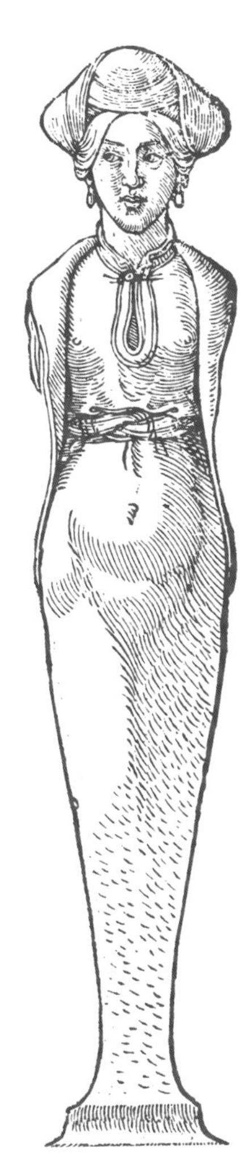

GUIDE

La Turquie regorge de trésors fabuleux,
mais on trouve dans le monde entier
un grand nombre de musées et de collections d'art ottoman
ou d'inspiration ottomane. En voici une sélection.

MUSÉES

ISTANBUL

(vérifier systématiquement les horaires d'ouverture)

MUSÉE DE LA CALLIGRAPHIE
Place Beyazit
Le seul musée de la calligraphie qui existe dans le monde.

MUSÉE DES TAPIS ET DES KILIMS
Sultan Ahmet Camii (mosquée Bleue)
Avant que ne soient rassemblés dans ce lieu des tapis provenant de mosquées disséminées dans toute la Turquie, des négociants et des collectionneurs peu scrupuleux, de toutes les nationalités, pouvaient, comme le sorcier du conte d'Aladin, proposer des contrefaçons récentes de tapis anciens.

TEKKE DES DERVICHES TOURNEURS
(Musée de la littérature classique du divan)
Beyoglu
Collection d'instruments de musique utilisés par les derviches.
Des cérémonies publiques de derviches tourneurs ont lieu le dernier dimanche de chaque mois.

BASILIQUE SAINTE-SOPHIE
Sultanahmet
Eglise consacrée à la sagesse divine bâtie par l'empereur Justinien v. 535 ap. J.-C. et transformée en mosquée après la conquête de la ville par les Ottomans en 1453.

MUSÉE DE LA MARINE
Besiktas
On peut y voir notamment quelques-uns des extraordinaires bateaux à rames à bord desquels les sultans naviguaient sur le Bosphore.

MUSÉE MILITAIRE
Magnifiques tentes brodées.
L'été, de 15h à 16h, concerts de la fanfare des janissaires.

MUSÉE DE L'INDUSTRIE - MUSÉE COÇ
Corne d'Or
Modèles réduits.

MUSÉE SADBERK HANIM
Büyükdere
A l'origine, collection privée d'objets domestiques et de vêtements, présentée dans le cadre d'une villa traditionnelle. On y trouve également des collections archéologiques et ethnographiques.

MUSÉE DU PALAIS DE TOPKAPI SARAYI
Sultanahmet
Les trésors extraordinaires des sultans, notamment des caftans et des bijoux royaux, ainsi que la plus grande collection de porcelaine chinoise en dehors de Chine.
A ne pas manquer : le Trésor. La visite du harem fait l'objet d'un billet d'entrée séparé.
Au restaurant, réserver une table près de la fenêtre pour bénéficier de la vue sur le Bosphore. Le musée archéologique est situé dans l'enceinte du palais, mais se visite à part.

MUSÉE DES ARTS TURCS ET ISLAMIQUES
Palais Ibrahim Pacha Sarayi
Sultanahmet
Exceptionnels tapis seldjoukides et ottomans, et riches collections d'objets en bois et en métal et de céramiques.

ALLEMAGNE

MUSEUM FÜR ISLAMISCHE KUNST
Berlin
Les collections ottomanes du musée contiennent plusieurs tapis de grande importance historique.

STAATLICHEN KUNSTSAMMLUNGEN
Dresde
Etonnante collection d'art ottoman et de turqueries européennes.

BAYERISCHES ARMEEMUSEUM
Ingolstadt
On peut voir dans ce musée un modèle rare de tente ottomane.

LANDESMUSEUM
Karlsruhe
Remarquable collection provenant de la chambre turque du margrave de Baden-Baden, Ludwig Wilhelm, surnommé « Louis le Turc » (Türkenlouis).

AUTRICHE

KUNSTHISTORISCHES MUSEUM
(Kunstkammer)
Vienne

DANEMARK

COLLECTION DAVID
Copenhague
On y trouve notamment une exceptionnelle céramique d'Iznik, la cruche dite « Mae West » en raison de son décor « à lèvres rouges » (voir le canapé « Mae West » de Salvador Dalí).

ÉTATS-UNIS

COUNTY MUSEUM OF ART
5905 Wilshire Boulevard
Los Angeles CA 90038

ART INSTITUTE OF CHICAGO
Michigan Avenue
Chicago IL 60603-60110

DE YOUNG MUSEUM
San Francisco CA 94118 4598
Plusieurs collections intéressantes de tapis et de kilims.

TEXTILE MUSEUM
2320 South Street
Washington DC 20008
Une broderie ottomane conçue pour un usage privé fut la première acquisition de ce qui allait devenir un important musée du textile.
Possède également des tapis.

METROPOLITAN MUSEUM OF ART
Fifth Avenue et 82nd Street
New York NY 10028
Les collections islamiques de ce musée regroupent d'importants ensembles d'art ottoman.

MUSEUM OF FINE ARTS
465 Huntington Avenue
Boston MA 02115

FRANCE

MUSÉE DE LA RENAISSANCE
Château d'Ecouen (Val d'Oise)
Vers le milieu du XIXe siècle, le consul de France dans l'île de Rhodes acquit pour le musée de Cluny quelques cinq cent trente pièces de céramique d'Iznik ; c'est pour cette raison que la céramique d'Iznik fut souvent qualifiée de « rhodienne ». Cette collection est aujourd'hui conservée au château d'Ecouen.

MUSÉE DU LOUVRE
Paris
La section islamique du département des Antiquités orientales possède d'intéressantes collections d'art turc.

MUSÉE HISTORIQUE DES TISSUS
Lyon
Importante collection de tissus où figurent des soieries impériales ottomanes tissées dans les ateliers royaux d'Istanbul et de Bursa.

GRÈCE

MUSÉE BENAKI
Athènes
Céramiques et textiles ottomans, notamment de magnifiques broderies turques et des îles grecques.

HONGRIE

MUSÉE NATIONAL HONGROIS ET MUSÉE DES ARTS DÉCORATIFS
Budapest
On peut voir dans ces deux musées des tapis et autres objets turcs des XVIe et XVIIe siècles.

POLOGNE

MUSÉE NATIONAL
Varsovie
MUSÉE NATIONAL
Cracovie
Ces deux musées, de même que plusieurs châteaux royaux, abritent de riches collections d'art ottoman, dont des carapaçons, des armes, des tapis et des tentes, objets qui furent exposés en 1999 au musée des Arts turcs et islamiques d'Istanbul.

ROYAUME-UNI

BRITISH MUSEUM
Londres
La plus grande collection de poterie d'Iznik au monde, la Turquie ayant cependant conservé les pièces les plus importantes.

VICTORIA & ALBERT MUSEUM
Londres
Les remarquables collections turques de ce musée comprennent plusieurs caftans impériaux, notamment des caftans confectionnés pour les enfants du sultan.

ROYAL MUSEUM OF SCOTLAND
Edimbourg
Tissus et vêtements turcs, dont une belle collection de costumes – de femmes et d'enfants – ottomans du XVIIIe siècle.

Parmi les autres musées et galeries d'art du Royaume-Uni présentant d'intéressantes collections de céramiques, de tapis et de tissus ottomans (dont des broderies d'Algérie et de Grèce insulaire), on peut citer :

ASHMOLEAN MUSEUM
Oxford

WHITWORTH GALLERY AND ART MUSEUMS
Manchester

FITZWILLIAM MUSEUM
Cambridge

SUÈDE

COLLECTION CELSING
Université d'Uppsala
Manuscrits et tableaux rapportés en Suède par Ulrik Celsing, ambassadeur à la cour ottomane au XVIIIe siècle.

SUISSE

MUSÉE D'ART ET D'HISTOIRE
Genève
La plus grande collection de tableaux et de dessins d'Européens vêtus à la mode ottomane du peintre suisse J. E. Liotard.

LIBRAIRIES

Istanbul

GALERI KAYSERI
Divanyolu Cad. 58
Sultanahmet
email : galerikayseri@ihlas.net.tr

ROBINSON CRUSOE
Istiklal Cad. 389
Beyoglu

OTTOMANIA
Eren Ltd. Sti, Tunel
Sofyali Sok. 30-32
Beyoglu
Carte anciennes, gravures et livres rares.

COMMENT COMMENCER UNE COLLECTION

- Affinez votre goût pour découvrir ce que vous aimez véritablement.
- Il est important de visiter les musées mais, si vous souhaitez manipuler les objets, assistez aux ventes aux enchères et prenez conseil auprès des marchands.
- Renseignez-vous auprès des musées ou des commissaires-priseurs pour connaître l'adresse des associations d'amateurs de tapis, de tissus, de verres ou de céramiques les plus proches de chez vous, et rencontrez des gens partageant vos intérêts à l'occasion de conférences ou de réunions.
- Abonnez-vous aux deux revues spécialisées *Hali* et *Cornucopia*, ou demandez à votre bibliothèque de prêt de s'y abonner, car aucune des deux n'est distribuée dans les maisons de la presse. *Cornucopia*, revue publiée en Angleterre trois fois par an, traite de l'histoire, de l'art et de la culture turcs d'aujourd'hui.
Contact : PO Box 13311, Hawick TD9 7YF, Ecosse, Royaume-Uni ; PO Box 3405, Sunriver, OR 97707, Etats-Unis ; CC 480 Mecidiyekoy, 80303, Istanbul, Turquie.
Bimestriel, *Hali* est spécialisé dans les tapis, les tissus ainsi que les arts asiatique et islamique ; email : hali@subscription.co.uk
- Fréquentez assidûment les magasins d'antiquité et les foires à la brocante.
- Vous finirez par apprendre à connaître les marchands dont les goûts reflètent les vôtres. En dehors de la Turquie, rares sont les marchands exclusivement spécialisés dans l'art turc.
- Selon ce que vous rechercherez, il faudra parfois mieux acheter en Turquie, parfois plutôt à l'étranger.
- Ventes aux enchères d'art islamique :
A Londres : au printemps et en automne,

au cours de l'« Islamic Week », Sotheby's, Christie's et Bonham's organisent des ventes spécialisées. Christie's propose généralement en juin de chaque année une vente ottomane et orientaliste. Les salles des ventes de Londres et de New York comportent un département islamique.
A Paris : les salles des ventes parisiennes emploient des consultants indépendants. Les ventes ont lieu à l'Hôtel Drouot. Les principaux commissaires-priseurs parisiens spécialisés dans l'art turc et la peinture orientaliste sont :
Etude Tajan (consultant Lucien Arcache) ; Gros-Delettrez et François de Ricqles (consultants Lynne Thornton et cabinet d'expertise Soustiel-David) ; Claude Boisgirard (consultant A. M. Kevorkian).
Les ventes – œuvres d'art, meubles, tableaux, manuscrits, miniatures, textiles, tapis, bijoux, céramiques, verre, argenterie, armes et armures – sont généralement accompagnées de catalogues illustrés.
• On pourra également trouver des tableaux orientalistes représentant des scènes turques dans les ventes de peinture du XIXe siècle.

QUE COLLECTIONNER ?

Si vous manquez de place : petits tapis et sacs tissés ; cuillères en écaille, en noix de coco, en os, en ivoire, en nacre ou en ébène et au manche à pointe de corail ; aspersoir à eau de rose en verre ; objets de hammam ; tasses à café ; foulards brodés. Ou bien optez pour un tableau orientaliste et recherchez des objets semblables à ceux que le peintre a utilisé comme accessoires d'atelier. Même un fragment de tissu brodé sera du plus bel effet s'il est bien encadré et exposé (attention aux lumières trop intenses qui risquent avec le temps de détruire et de décolorer le tissu).

OÙ ACHETER ?

EN TURQUIE

CÉRAMIQUES

De remarquables céramistes contemporains travaillent dans la tradition d'Iznik et de Kütahya. Leurs œuvres sont commercialisées dans leurs ateliers ainsi que dans divers magasins d'Istanbul et à la boutique du musée des Arts turcs et islamiques.

ISMAIL YIGIT
Valikonagi Cad. Ekmek Fabrikasi Sok
2/16 Nisantasi
Istanbul
Tél. +90-212-233 3322

Egalement à l'adresse suivante :
Atatürk Bulvari 39/A
Kütahya
Istanbul
Poterie ottomane dans la tradition d'Iznik et de Kütahya de qualité remarquable. Elle est exportée et vendue à l'étranger, notamment à la boutique du Victoria & Albert Museum à Londres.

FONDATION IZNIK
Iznik Cini ve Seramik Isletmesi
Kurucesme
Oksuz Cocuk Sk. n°14 Besiktas
Istanbul
www.iznik.com
Spécialisée dans la fabrication de carreaux de céramique, la Fondation Iznik a produit ceux qui ornent les murs des premières stations du métro d'Istanbul (ligne inaugurée en 2000) et de nombreux sièges sociaux d'entreprises. Expédition possible à l'étranger. On peut visiter ses ateliers à Iznik et son magasin d'exposition à Istanbul.

IZNIK CLASSICS
Grand Bazar
et aussi à
Arasta Carsisi n°67
Sultanahmet
Istanbul
Céramiques de diverses provenances (certaines sont fabriquées chez les potiers mentionnés ci-dessus).

TAPIS ET TEXTILES

L'effondrement de l'Union soviétique a eu pour intéressante conséquence le rapprochement des peuples turcs d'Asie Centrale et de la Turquie. Les tapis et tissus turkmènes sont bien représentés parmi les tissages turcs, kurdes ou caucasiens. Choisir un tapis, c'est consacrer du temps à regarder et à comparer. L'essentiel est de se laisser guider pat son goût personnel tout en sirotant le thé ou le café qu'on vous aura offert. Dans l'ensemble, les tapis turcs modernes sont de bonne qualité, et si le pouvoir de persuasion des marchands de tapis n'est pas une réputation usurpée, le marchandage se fait toujours dans la bonne humeur. Ce genre d'expérience ne saurait être que positive.

GUNES OZTARAKCI
Mim Kemal Oke Cad. 5
Nisantasi
Istanbul
Uniquement sur rendez-vous
Tél. +90-212 225 1954
Ce magasin est tenu par une femme qui a réussi à s'imposer dans l'univers principalement masculin du négoce de tapis.

A LA TURCA
Faikpasa Yokusu n°4 Cukurcuma
Cihangir
Istanbul
Tél/Fax. +90-212 245 29 33

OTTOMANIA
Takkeciler Sokak
78-80 Grand Bazar
Istanbul
Tél. +90-212 527 9308

VAKKO
123-125 Istiklal Cad.
Istanbul
Vakko est la plus connue de toutes les manufactures de textiles modernes reproduisant des motifs et des décors ottomans. Outre ses nombreux points de vente, elle dispose d'un grand magasin d'exposition sur Istiklal Cad.

KUSAV
(Fondation pour la conservation et la promotion de la culture et des arts)
Tél. +90 212 262 34 33 09 86
Ventes aux enchères de tapis anciens un dimanche sur deux, et foires aux antiquités et aux objets d'art décoratif.

AILLEURS

La mention « uniquement sur rendez-vous » indique qu'il ne s'agit pas d'un magasin que l'on peut visiter ou découvrir au détour d'une rue. A la différence des musées nationaux, les entreprises privées peuvent avoir déménagé, ou bien encore avoir cessé leurs activités. Les adresses mentionnées ci-dessous sont donc susceptibles de subir des modifications.

ALLEMAGNE

OTTOMANIA
Fedelhoren 102
28209 Brême

AUSTRALIE

ANN AND GEOFFREY LONG
Gaanetgetal Books
23 Fowler Street
Camperdown
NSW 2050

ORIENTAL RUG SOCIETY OF NEW SOUTH WALES
PO Box 56
Surry Hills
NSW 2010

ROSS LANGLAND
Nomadic Rugs
125 Harris Street
Pyrmont
Sydney
NSW 2009

KERRY AND PAM HOYNE
Gallery Dobag
131 Bussell Highway
Margaret River
Western Australia 6288

CITO CESSNA
Enshallah Trading Co.
21 Barwun Road
Lane Cove
NSW 2066

ÉTATS-UNIS

JAMES BLACKMON
2140 Bush Street, n°1
San Francisco, CA 94115
Tél. +1-415 922 1859

CARAVANSERAIL LTD.
Casey Waller
1435 Dragon Street
Dallas, TX 75207
Tél. +1-214 741 2131
Magnifiques tissus du Turkestan.

DENNIS R. DODDS
Maqam
PO Box 4312
Philadelphie, PA 19118
Tél. +1-215 247 4774

J.H. TERRY
313A 1st Avenue South
Seattle, WA 98104
Tél. +1-206 233 9766

FRANCE

GALERIE BERDJ ACHDJIAN
10, rue de Miromesnil
75008 Paris
Tél. +33-01 42 65 89 48
Cette entreprise familiale établie depuis longtemps est spécialisée dans les tapis classiques, en particulier les tapis caucasiens anciens.

GALERIE J. SOUSTIEL
146, boulevard Haussmann
75008 Paris
Tél. +33-01 45 62 27 76
Spécialisée depuis plusieurs générations dans les œuvres d'art islamique et ottoman.

GALERIE TRIFF
35, rue Jacob
75006 Paris
Tél. +33-01 42 60 22 60
Tapis et kilims turcs anciens.

GALERIE KEVORKIAN
21, quai Malaquais
75006 Paris
Tél. +33-01 42 60 72 91
Œuvres d'art islamique et ottoman.

ITALIE

ALBERTO BORALEVI
Via Monalda 15/r
50123 Florence
Tél. +39 (0) 55 211 423
Tapis et tissus classiques.

OTTOMAN ART
Via Della Sposa 10 et 15
06123 Pérouse
Tél. +39 (0) 75 573 6842

ROYAUME-UNI

BRENDON LYNCH AND OLIVER FORGE
Flat 2
10 Bury Street
Londres SW1Y 6AA
Tél. +44 (0) 207 829 0368
Art indien et islamique.

FRANCESCA GALLOWAY
21 Cornwall Gardens
Londres SW7 4AW
Uniquement sur rendez-vous
Tél. +44 (0)207 937 3192
Costumes, textiles, art et miniatures islamiques.

MOMTAZ ISLAMIC ART
79A Albany Street
Regent's Park
Uniquement sur rendez-vous
Tél. +44 (0) 207 486 5411

DYALA SALAM
174A Kensington Church Street
Londres W8 4DP
Tél. +44 (0)207 229 4045
Le spécialiste londonien des turqueries.
Le plus beau magasin dans cette ville, au décor inspiré de la « chambre des Fruits » du palais de Topkapi Sarayi.

SPINK INDIAN & ISLAMIC WORKS OF ART
21 King Street
St James's
Londres SW1Y 6QY
Tél. +44 (0) 207 930 5500

MICHAEL AND HENRIETTA SPINK
3 Georgian House
10 Bury Street
Londres SW1Y 6AA
Tél. +44(0)207 930 2288
Art indien et islamique.

A Londres, si l'on souhaite se constituer un intérieur turc, on ira d'abord chez Dyala Salam (voir ci-dessus) avant de chiner dans les magasins d'antiquité de Pimlico et de New Kings Road, qui proposent très souvent des meubles, des petites tables et des miroirs à incrustation de nacre en provenance de l'Empire ottoman.

BIBLIOGRAPHIE

Barillari, Diana, et Ezio Godoli, *Istanbul 1900 : architecture et intérieurs Art nouveau*, New York, 1996, Paris, 1997
Batari, Ferenc, *Ottoman Turkish Carpets*, Budapest, 1994
Bezombes, Roger, *L'Exotisme dans l'art et la pensée*, Paris, 1953
Blanch, Lesley, *Pierre Loti*, Londres, 1983, Paris, 1986
Bon, Ottavio et Godfrey Goodwin, *The Sultan's Seraglio*, Londres, 1996
Bradford, Ernie, *The Sultan's Admiral: The Life of Barbarossa*, Londres, 1968
Carswell, John, *Iznik Pottery*, Londres, 1998
Carswell, John, « Order of the Bath (Ingres and Lady Mary Wortley-Montagu) », *Cornucopia*, n°10, vol. II, 1996
Cassels, Lavender, *The Struggle for the Ottoman Empire 1717-1740*, Londres et New York, 1966
Chew, Samuel, *The Crescent and the Rose*, Londres et New York, 1937
Clot, André, *Soliman le Magnifique*, Paris, 1980
Coles, Paul, *The Ottoman Impact on Europe*, Londres et New York, 1968
Corti, Count, *A History of Smoking*, Londres, 1931
Croutier, Alev Lytle, *Harems*, New York et Paris, 1989
Cuddon, J. A., *The Owl's Watchsong*, Londres et New York, 1960
Darblay, Jérôme, *L'Art de vivre à Istanbul*, Paris, 1993
Dash, Mike, *La Tulipomania*, Londres et New York, 1999, Paris, 2000
Ellison, Grace, *An English Woman in a Turkish Harem*, Londres, 1915
Erdman, Kurt, *The History of the Early Turkish Carpet*, Londres, 1977
Erdogan, Sema Nilgun, *Sexual Life in Ottoman Society*, Istanbul, 1996
Freely, John, *Inside the Seraglio: Private Lives of the Sultans in Istanbul*, Londres, 1999
Freely, John, *Istanbul, the Imperial City*, Londres, 1996, New York, 1998
Gervers, Veronika, *The Influence of Ottoman Turkish Textiles and Costume in Eastern Europe*, Ontario, 1982
Gocek, Fatma Muge, *East Encounters West*, Oxford, 1987
Goodwin, Godfrey, *A History of Ottoman Architecture*, Londres, 1971
Goodwin, Godfrey, *The Janissaries*, Londres, 1994
Goodwin, Godfrey, *The Private World of Ottoman Women*, Londres, 1997
Goodwin, Godfrey, *The Topkapi Palace*, Londres, 1999
Grundy, Isobel, *Lady Mary Wortley Montagu, Comet of the Enlightenment*, Oxford, 1900
Hanimefendi, Leyla, *Le Harem impérial*, Paris, 1925
Hattox, Ralph, *Coffee and Coffee Houses*, Washington, 1985

Hellier, Chris et Francisco Venturi, *Splendeurs d'Istanbul : palais et demeures du Bosphore*, Londres, 1993, Paris, 1994
Inalcik, Halil, *An Economic and Social History of the Ottoman Empire, 1300-1914*, 2 vol., Cambridge, 1994
Inalcik, Halil, *The Ottoman Empire: The Classical Age 1300-1600*, Londres et New York, 1973
Jardine, Lisa, *Worldly Goods: A New History of the Renaissance*, Londres et New York, 1996
Lane-Poole, Stanley, *The Barbary Corsairs*, Londres, 1890, Westport, Conn., 1970
Lloyd, Christopher, *English Corsairs on the Barbary Coast*, Londres, 1981
Loti, Pierre, *Aziyadé*, Paris, (première édition 1879) 1927
Mansel, Philip, *Constantinople*, Londres, 1995, Paris, 1997
Mantran, Robert, sous la dir. de, *Histoire de l'Empire ottoman*, Paris, 1989
McKenzie, John, *Orientalism: History, Theory and the Arts*, Manchester et New York, 1995
Montagu-Wortley, Lady Mary, *The Turkish Embassy Letters*, Londres 1763, sous la dir. de M. Jack, Athens, Géorgie, 1993
Mourad, Kénizé, *De la part de la princesse morte*, Paris, 1989
Orga, Irfan, *Portrait of a Turkish Family*, Londres, 1950, New York 1988
Oz, Tahsin, *Turkish Textiles and Velvets XIV-XVI Centuries*, Ankara, 1950
Pavord, Anna, *La Tulipe*, Londres, 1999, Paris, 2001
Peirce, Lesley, *The Imperial Harem*, Oxford, 1993
Peltre, Christine, *L'Atelier du voyage : les peintres en Orient au XIXe siècle*, Paris, 1995
Peltre, Christine, *Les Orientalistes*, Paris, 2000
Penzer, N. M., *The Harem*, Londres, 1936
Porter, Venetia, *Islamic Tiles*, Londres et New York, 1995
Raby, Julian, *Venice, Dürer and the Oriental Mode*, Londres, 1982
Roden, Claudia, *Coffee*, Londres, 1977
Runciman, Steven, *The Fall of Constantinople 1453*, Cambridge, 1965
Scarce, Jennifer, *Women's Costume of the Near and Middle East*, Londres, 1987
Schwoebel, Robert, *Shadow of the Crescent*, New York, 1967
Scott, Philippa, *The Book of Silk*, Londres et New York, 1993
Sumner-Boyd, Hilary et Freely, John, *Strolling Through Istanbul: A Guide to the City*, Londres, 1972, New York, 1987
Sweetman, John, *The Oriental Obsession*, Cambridge, 1987
Tezcan, Hulye et Selma Delibas (traduction J. M. Rogers), *The Topkapi Sarayi Museum: Textiles*, Londres et New York, 1986
Ther, Ulla, *Floral Messages*, Brême, 1993
Thornton, Lynne, *La Femme dans la peinture orientaliste*, Paris, 1985
Thornton, Lynne, *Les Orientalistes, peintres voyageurs*, Paris, 1993
Wheatcroft, Andrew, *The Ottomans*, Londres, 1993
Ydema, Onno, *Carpets and their Datings in Netherlandish Paintings 1540-1700*, Leyde, 1991
Yerasimos, Stephane, Ara Güler et Samih Rifat, *Demeures ottomanes de Turquie*, Paris, 1992

CATALOGUES D'EXPOSITION

Albertinum, *In Liche des Halmonds*, Staatliche Kunstammlungen, Dresde, 1995
Altonaer Museum, *A Wealth of Silk and Velvet*, Hambourg, 1993
Brunei Gallery, *Empire of the Sultans*, Londres, 1996
Château de Versailles, *Topkapi à Versailles*, Paris, 1999
Centre culturel de Boulogne-Billancourt, *Au Nom de la Tulipe*, Paris, 1993
Colnaghi, *Imperial Ottoman Textiles*, Londres, 1980
Corcoran Gallery of Art, *Palace of Gold and Light*, Washington, DC, 2000
David Black, *Embroidered Flowers from Thrace to Tartary*, Londres, 1981
David Collection, *By the Light of the Crescent Moon*, Copenhague, 1996
Hayward Gallery, *The Arts of Islam*, Londres, 1976
Hayward Gallery, *The Eastern Carpet in the Western World from the 15th to the 17th Century*, Londres, 1983
Hazlitt Gooden & Fox Gallery, *At the Sublime Porte*, Londres, 1988
Kyburg Gallery (sous la dir. de E. Grunberg et E.Torn), *Four Centuries of Ottoman Taste*, Londres, 1988
Musée du palais de Topkapi Sarayi, *9000 Years of the Anatolian Woman*, Istanbul, 1993
National Gallery of Art (Esin Atil), *The Age of Suleiman the Magnificent*, Washington, 1987
National Gallery of Ireland, *The East Imagined, Experienced, Remembered*, Dublin, 1988
National Museum, *Sultan, Shah and Great Mughal*, Copenhague, 1996
Royal Academy of Arts, *The Orientalists: From Delacroix to Matisse*, Londres, 1984
Scottish National Portrait Gallery, *Visions of the Ottoman Empire*, Edimbourg, 1994
Spink, *Visions of the Orient*, Londres, 1995
Textile Museum, *Flowers of Silk and Gold*, Washington, DC, 2000
Textile Museum, *The Splendor of Turkish Weaving*, Washington, DC, 1973

Page 113 : Projet d'aiguière, gravure de Wenzel Hollar d'après Hans Holbein, 1645.
Pages 114 et 117 : détails de *La Famille turque*, d'Albrecht Dürer, 1497-1500.
Page 115 : dessin d'un jeton du XVIIe siècle utilisé en guise de monnaie dans un café anglais. British Museum.
Page 116 à gauche : arabesque ornementale de bordure, bois gravé, d'après *Opera nuova...* de G. A. Tagliente, Venise, 1530.
Page 116 à droite et page 119 : costumes ottomans, tirés de *Descriptions de l'Egypte*, Paris, 1822-1823.
Page 120 : « paons tenant des livres ouverts », dessin calligraphique, Turquie, 1890. Collection privée.

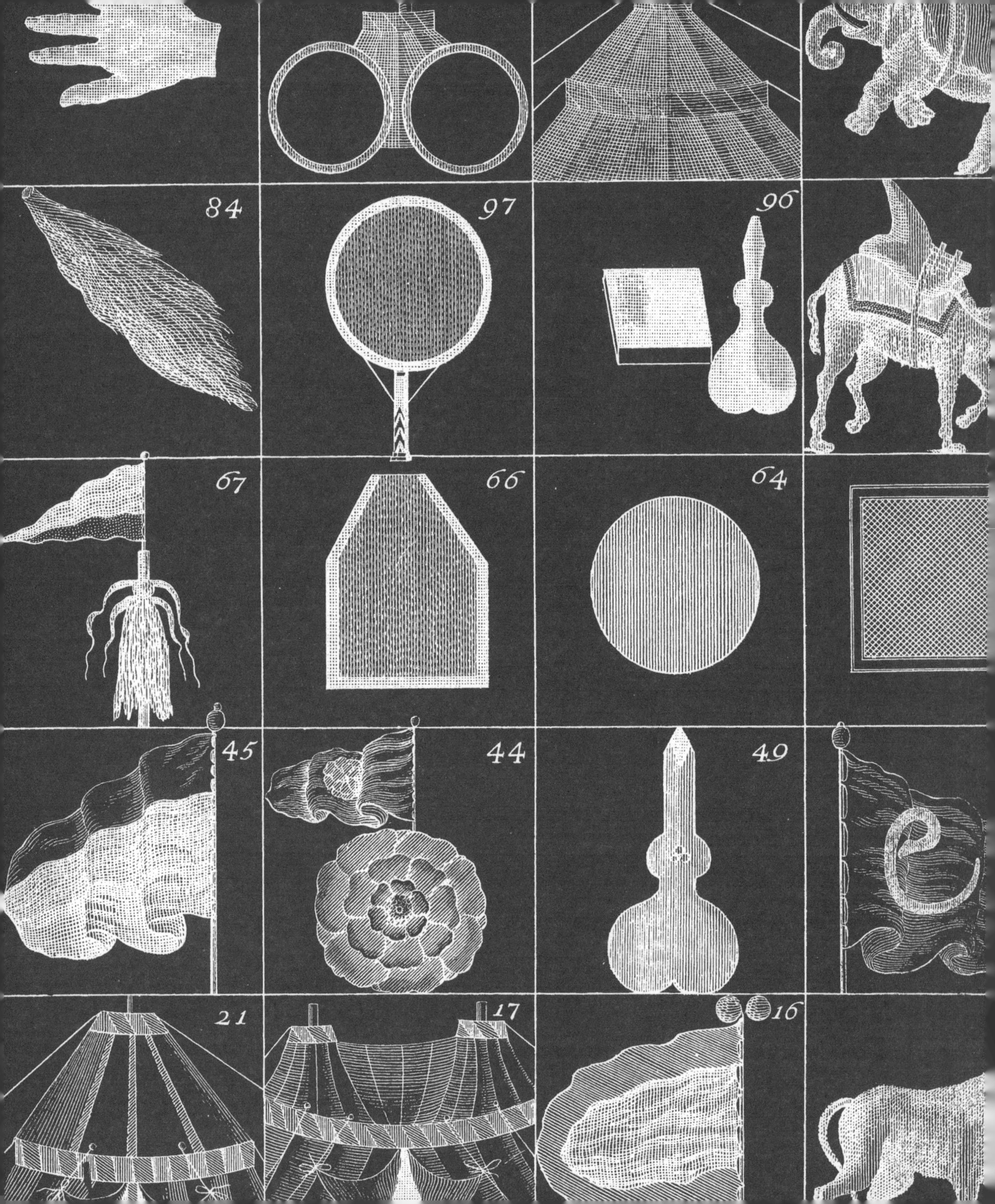
84
97
96
67
66
64
45
44
49
21
17
16